A ALMA DA MEDICINA

A ALMA DA MEDICINA

ROBSON PINHEIRO

PELO ESPÍRITO JOSEPH GLEBER

casadosespíritos

SUMÁRIO

Joseph Gleber, pai e amigo: um espírito humano
por Robson Pinheiro — 13

Introdução
pelo espírito Joseph Gleber — 19

1
Ciência do espírito — 26

2
Onde está a alma da medicina? — 34

3
O papel do médico — 54

4
Onde está o doutor? — 64

5
Humanizando a medicina terrena
e a espiritual — 74

6
Médico, médiuns e sua missão — 86

7
Expurgos enfermiços — 96

8
Cirurgias espirituais — 114

9
Enfermeiros de Jesus:
reaprendendo a servir — 130

10
A cura começa aqui:
saber acolher, ouvir e abraçar — 142

11
Ética no contato com pacientes
e consulentes — 152

12
Ressignificando a morte — 164

13
Os médiuns de todo lugar:
médicos de almas,
médiuns de energias — 178

14
O papel da música como terapia da alma — 188

15
Curando as emoções — 198

16
O papel do magnetizador
e do médium de cura — 206

17
Reuniões de ectoplasmia e seus objetivos — 224

18
O ectoplasma nos processos
de cura e tratamento — 240

19
O médium de cura e sua sexualidade — 262

20
O lado médium do médico — 282

21
O lado médico do médium — 294

22
Espiritualização da ciência — 310

23
Fisiologia espiritual:
a alma sob análise profunda — 320

24
Energias e fluidos — 334

25
A força da mente nos processos
de adoecimento e cura — 348

26
Por que a cura não aconteceu? — 360

27
Quando as crenças desencadeiam enfermidades ou promovem a cura — 372

28
O trabalho dos espíritos no tratamento espiritual — 384

Epílogo
Além do cérebro — 393

Referências bibliográficas — 401

Sobre o autor — 403

Joseph Gleber, pai e amigo: um espírito humano

POR ROBSON PINHEIRO

— **SOU APENAS** um espírito, nada mais — disse-me Joseph Gleber há cerca de 30 anos, portanto lá pelos idos de 1984. — Não pretendo disputar com ninguém os aplausos ou o reconhecimento, seja nos meios acadêmicos, científicos, religiosos ou espiritistas. Já não possuo títulos, tampouco expectativas quanto a questões que são importantes somente para quem permanece no mundo das formas. Pretendo apenas trabalhar. Trabalhar e servir, aprender e prosseguir estudando a ciência do espírito, a alma do universo, não deste universo exterior, material, mas do universo que está dentro da alma humana.

Com essas palavras, o espírito Joseph Gleber dava a conhecer sua própria alma. Era o início de um relacionamento que já conta mais de

50 anos, dos quais mais de 30 de intensas e ininterruptas atividades. Claro, esse é apenas o tempo desde minha reencarnação, sem considerar nenhuma vivência anterior. Joseph é o autor espiritual das palavras expressas neste livro, escritas com mãos emprestadas — mãos nem sempre hábeis para exprimir o pensamento de um Imortal. Não obstante, ele tem demonstrado, ao longo dos anos, profundo respeito por minhas limitações como um de seus auxiliares, aprendizes e intérpretes. Conhecendo minhas manias, tem sido o pai e amigo que nunca me falta com o apoio na caminhada, além de incentivar a descoberta de uma maneira mais responsável de viver a vida. Sabendo de meus pensamentos e emoções, encoraja-me no sentido da melhora e na tentativa, nem sempre vencedora, de consegui-la. Mesmo assim, trabalha, insiste e continua investindo seu tempo, suas habilidades psíquicas por meu intermédio, tudo em nome do compromisso que carrega: a causa da humanidade e do Cristo, em particular.

Não se diz médico em momento algum, nem gosta que assim o chamemos. Prefere dizer que é um aprendiz, um estudante da ciência da vida e que os títulos que um dia possuiu foram incinerados, assim como os corpos seu e de sua família, nos fornos do Terceiro Reich. Nada resta daquela época, a não ser a experiência e algum sopro ocasional de melancolia por saber que, um dia, trabalhou sob o império de uma política inumana.

Hoje, em espírito, prossegue estudando, contribuindo e atendendo seus irmãos de humanidade através de vários médiuns pelo mundo. Sim! Já me disse que não dava atestado de exclusividade a médium algum, nem era propriedade privada e espiritual de ninguém. Onde fosse necessário e onde pudesse, ali estaria ele agindo, ainda que no anonimato, em nome do bem e do amor à causa da humanidade.

Algo me encanta no perfil psicológico desse amigo. Entre nós, jamais quer fazer o trabalho sozinho e nunca quis concentrar a atividade somente em mim, chamando a atenção para um único médium. A seu lado atuam outros espíritos, convidados por ele, que atendem por meio de outros médiuns, simultaneamente e em pé de igualdade, tais como Pai João de Aruanda, Pai

André, Zé Baiano, Tupinambá, Palminha, José Grosso, Sheilla, Zabeu, Zarthú e tantos mais, com quem compartilha o trabalho. Joseph não gosta de assumir a posição de maior destaque e, por isso mesmo, conquista, encanta e levanta-nos a todos, ao estimular a cooperação entre médiuns. Não há uma tarefa sequer concentrada exclusivamente nele ou no médium através do qual atua mais intensamente. De uma coisa nunca abre mão, porém: da responsabilidade, do carinho e da dedicação ao trabalho que assumiu e se comprometeu a fazer entre nós.

Escrevo estas palavras para salientar meu respeito pessoal, minha eterna gratidão e admiração por este Imortal, que certo dia patrocinou minha imersão na carne. A ele devo os momentos de intensa convivência com outros espíritos, aos quais muito estimo, além de minha saúde e minha força para continuar — que sei ser proveniente dele, que me mantêm vivo, no corpo, e entusiasmado, em qualquer dimensão onde eu esteja trabalhando.

A Joseph Gleber, este pai, este amigo e mestre, um dos Imortais a serviço de Cristo, eu dedico este livro, bem como minhas emoções e minha própria vida, a qual deposito em suas mãos, pedindo mais uma vez que me transforme em instrumento das forças superiores do bem e da luz. Se assim ele julgar necessário, deponho minha própria vida pelo bem do trabalho, desde que sob sua orientação paternal, na certeza de que continuarei aprendendo e servindo mais além, em outras dimensões, quando soar a hora de reencontrá-lo entre as luzes das estrelas ou entre as penumbras do sofrimento, auxiliando com ele, Joseph Gleber, os outros seus filhos a se reerguerem para o sublime encontro com a imortalidade.

ROBSON PINHEIRO

Belo Horizonte, 4 de maio de 2014.

Introdução

PELO ESPÍRITO JOSEPH GLEBER

QUANDO SE ESBOÇAVAM nos céus do planeta Terra os horrores da Segunda Guerra Mundial, encontrava-me sob o comando e a serviço dos dominadores das trevas do século XX. Após questionamentos quanto à natureza e principalmente quanto à finalidade e à aplicação do meu trabalho, e após descobrir que minha parcela de contribuição a certos projetos traria dor, angústia, sofrimento e pranto a inúmeras vidas, tomei a minha decisão. Se alguma coisa sabia, esse saber tinha de produzir bem para a humanidade.

Não importavam mais as vidas minha e de minha família; o que estava em jogo ali era muito mais precioso do que meu núcleo familiar, que, àquela altura, já era usado pelo Terceiro

Reich a fim de me pressionar com vistas à continuidade dos experimentos científicos infelizes. Eu estava decidido: não iria mais continuar, nem ceder à chantagem. Principalmente depois de ouvir, no recôndito de minha alma, os apelos advindos da dimensão do espírito, da qual não tinha nenhuma informação, conquanto não os pudesse menosprezar, devido à legitimidade e à procedência do fenômeno. Meses depois de tomar a decisão, aportava ao mundo espiritual na companhia de meus dois filhos e esposa, cremados que fomos nos fornos nazistas. Minha alma ainda hoje se ressente daqueles eventos que marcaram nossas vidas para sempre e deixaram cicatrizes que somente o tempo e o trabalho incessante poderão curar.

Cheguei do lado de cá com uma grande quantidade de informações, conhecimentos e experiências arquivadas na mente, que não sofreu nenhuma interrupção nas faculdades do pensamento durante a passagem interdimensional ocorrida no descarte biológico final. Não obstante, meus conhecimentos eram puramente técnicos, baseados numa ciência falida, que pouco ou muito pouco pôde fazer para equacionar as dores humanas. Meu conhecimento de física nuclear e de medicina nada pôde fazer para evitar as dores de muita gente, nem sequer da minha própria família. Meus títulos acadêmicos ficaram para sempre queimados e destruídos junto às cinzas do antigo corpo, que me serviu de vestimenta. Minhas pretensões foram varridas e dissipadas pela morte, logo após a qual eu me candidatava a estudar novamente e reaprender a ler e escrever na escola do infinito, sob a tutela de abnegados amigos e da misericórdia de nosso referencial de mãe e orientadora espiritual, a singela mulher quc ficou conhecida como Maria de Nazaré.

Deveria começar a estudar, então, a ciência do espírito, e a isso me dediquei quase que exclusivamente por anos a fio, à medida que encetava os primeiros passos nos processos de transferência dimensional, ou seja, nas reuniões de materialização e ectoplasmia. Mas nada do que aprendi caiu do céu como num ato milagroso. Tive e tenho de estudar sempre, inclusive revendo muitas teorias que defendia antes e que, mediante estudos mais aprofundados, passo a ver que podem ser diferentes. Afinal de contas, espírito não sabe tudo e, com o tempo, nosso ponto de vista também evolui.

Hoje sou mais um aprendiz na escola do espírito, da vida imortal. Como tal é que venho nestas páginas dar meu testemunho, prestar minha contribuição às reflexões de meus irmãos ainda de posse do corpo físico. Minhas palavras não devem ser tomadas como verdade absoluta, mas como opinião de um ser cuja existência está vinculada a outra dimensão, e como resultado da jornada de um espírito que sempre busca a verdade através de experiências, questionamentos e aprofundamento nos estudos neste lado de cá da fronteira da vida.

Dessa forma, minha proposta nestas páginas não é informar aspectos técnicos e revelar pormenores da fisiologia energética humana, tampouco discorrer a respeito de magnetismo, raios, ondas e campos energéticos, nem mesmo apresentar uma medicina espiritual que traga novos conhecimentos sobre tais assuntos. Quero, de fato, é abordar o lado humano, a participação do ser humano nos fatores determinantes da saúde e das enfermidades.

Assim, mais atenção dedicamos à necessidade de humanizar a prática da medicina, de desenvolver percepções e novos sentidos para auscultar aquilo que os equipamentos eletrônicos e a tecnologia disponível ainda não podem explorar. Sobretudo, visamos estimular o desenvolvimento de um senso de responsabilidade em relação à vida daqueles que procuram respostas e soluções para as dores e angústias decorrentes das enfermidades que os assolam. Pretendemos incitar magnetizadores, curadores e médiuns à reflexão, pensando sobre os elementos que contribuem para a retomada da qualidade de vida por parte dos consulentes e necessitados desejosos de melhora.

Minhas palavras, revestidas agora de novo traje, com a ajuda do amigo Ângelo Inácio na redação, apresentam as práticas médicas, tradicional e espiritual, como complemento uma da outra. Minhas reflexões têm o objetivo de levar meus irmãos que se dedicam à recuperação da saúde humana, tanto no âmbito profissional como no assistencial, a rever seus conhecimentos, estudar e desenvolver a medicina humanizada, aproximar-se dos que sofrem e vê-los como seres dotados de sentimentos e emoções. Filhos que são de um passado espiritual cheio de acertos e desacertos, apresentam um histórico de vida que os leva a ser muito mais sensíveis à forma como são tratados e albergados, no processo de cura a que se submetem.

Aí está a síntese do que constituem estas páginas e as palavras aqui expressas. Trata-se apenas de uma proposta de sensibilidade diante da vida, da dor e do sofrimento com algumas reflexões que possam, quem sabe, proporcionar maior qualidade aos trabalhos de meus irmãos. Se porventura, de alguma maneira, minhas palavras soarem ofensivas aos meus irmãos encarnados, peço perdão antecipadamente, pois não é esse o meu objetivo. Tendo em vista minha última formação cultural, minha forma de falar talvez soe mais intensa ou ácida, mais crítica e dura, ainda que não seja o caso, tampouco a intenção. Uma vez que ainda não adentrei os domínios da espiritualidade sublime, sou ainda e por muito tempo serei um espírito humano, dotado de severas limitações, particularmente na forma de me expressar. Aos que se propõem estudar, recebam estas minhas palavras como incentivo à sua caminhada e como elemento novo para compor suas reflexões.

JOSEPH GLEBER

San Sebastián/Donostia, 28 de março de 2014.

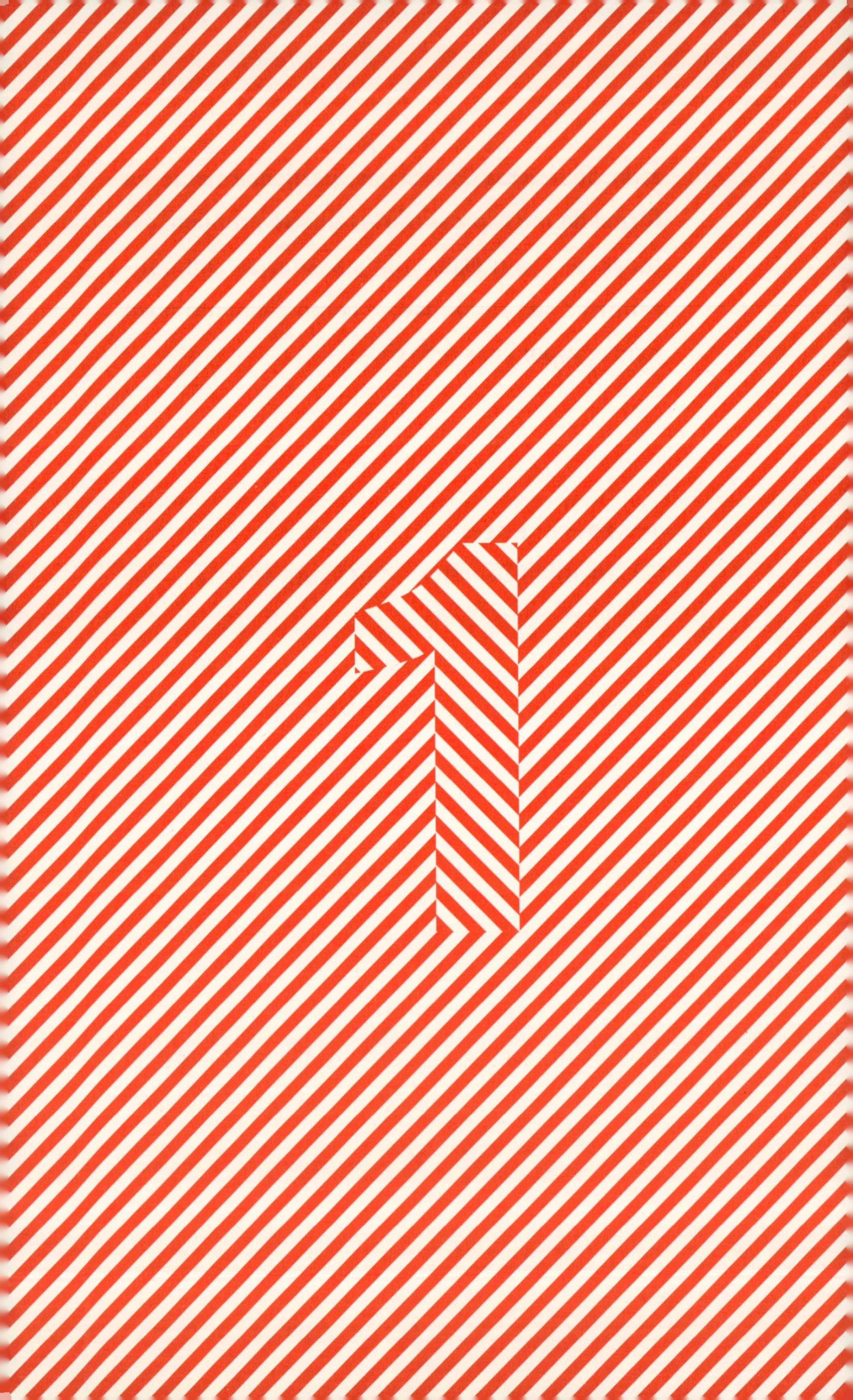

Ciência do espírito

A CIÊNCIA DO ESPÍRITO é o espírito da ciência. Quero dizer que o sentido oculto de todas as coisas, as respostas às indagações mais polêmicas, profundas e inteligentes dos maiores gênios da humanidade encontram-se nos postulados espirituais, nos compêndios da ciência universal do mundo oculto. Por mais que a ciência humana avance, por maiores que sejam suas conquistas, ainda haverá insatisfações e muitas perguntas não respondidas — até porque novas respostas geram mais perguntas, tornando o processo do saber interminável. Mesmo após o descarte final biológico, descobre-se que nas dimensões próximas à Crosta ainda não se detêm respostas definitivas às inúmeras indagações que assomam às mentes dos indivíduos mais dedicados ao estudo e às pesquisas científicas. Afinal, nas dimensões mais próximas à Terra, continuam a imperar leis e sistemas de vida muitíssimo semelhantes àqueles que sobrevivem na superfície.

Ao aportarem do lado de cá, os mais eminentes homens do mundo, os que compõem a galeria da fama passageira, trazem suas angústias e questionamentos de ordem muito mais pessoal do que científica. Descobrem logo que sua fama ficou enterrada ou foi cremada junto com os despojos, então descartados pela morte, e que se igualaram aos demais humanos do planeta Terra, independentemente de fatores como cultura, civilidade ou conquistas intelectuais.

Somente aos poucos a mente se liberta do jugo da matéria, da ilusão e da hipnose causada pela vida material e suas múltiplas e coloridas realidades, que engessam o pensamento, mesmo do maior dos cientistas e intelectuais. Percebe-se lentamente que aqui não perdura fama nem reputação, tampouco há galerias dos heróis do mundo. Somente quando o ser se despe da ilusão causada pela vida que deixou no mundo e adentra o mundo espiritual, a vida mental superior, é que se descortina perante ele a imensidade da ciência, do conhecimento e das possibilidades de realizações do infinito. Até então, é mero prisioneiro dos sentidos, das lembranças e das sensações que criou e alimentou na vida material.

Mesmo os mais religiosos, imbuídos do sentimento de altruísmo, de um tipo de civilidade marcada pelo conhecimento espiritual, por aqui se decepcionam. Prosseguem, mesmo após atravessar o portal entre as dimensões, com pontos de vista pessoais, manias, conflitos, imposições e interpretações. Com isso, mantêm-se de alguma forma apegados aos sistemas que defenderam no mundo, conservando a visão espiritual limitada, engessada por crenças e hipnossugestões que a si mesmos impuseram durante o estágio na matéria.

Apenas ao libertar-se dessas crenças que modelam o cérebro e a mente, o corpo e o espírito é que se abrem as portas das percepções mais claras, avançadas e sensíveis, a fim de aprofundarem-se as observações na amplitude do universo. Os que se elevaram além da matéria densa, das opiniões e interpretações proibitivas, que os mantiveram presos às teorias do mundo, de religiões e doutrinas castradoras, conservadoras, fundamentalistas ou farisaicas — esses poucos é que conseguem adentrar no vasto laboratório da ciência do espírito, a qual dá vida e mostra a alma de todas as coisas.

Por ora, nós, os espíritos ainda em aprendizado, apenas sonhamos com as equações de uma ciência universal, verdadeiramente espiritual. Ainda não nos despojamos de muitas de nossas teorias, de muitos pontos de vista pessoais, nem sequer de algumas interpretações que nos fazem ainda cegos perante a ciência da verdadeira vida espiritual. Portanto, urge nos libertarmos, nos liberarmos do peso das interpretações, das meias-verdades e das nossas verdades relativas, por vezes fantasiosas, antes de nos elegermos ou nos capacitarmos a entrar de posse do verdadeiro conhecimento. Tesouros permanecem ocultos para nós, os orgulhosos, os pretensiosos e ainda ignorantes de que nossas verdades, mesmo as tidas como mais avançadas, não passam de mero aprendizado, um curso primário na escola da vida.

A ciência do espírito soa muito mais vasta, ampla, complexa e intangível para quem permanece apegado aos aplausos mundanos, quem tem necessidade de obter reconhecimento do mundo, das pessoas e dos religiosos a fim de se sentir mais seguro e lustrar egos e ilusões, alimentando a crença de que é alguma coisa importante ou muito distinta no grande ministério da vida.

A ciência do espírito está muitíssimo mais avançada do que as conquistas mais brilhantes da ciência humana. Muitos desafios humanos, muitíssimas dificuldades e equações científicas aparentemente insolúveis são sanados, no mundo de mais além, nos planos da imortalidade, a partir de verdades consideradas elementares, as quais são base para outros voos mais amplos na espiritualidade. Penetrar esse laboratório do Invisível é o desejo de todos nós, que habitamos a dimensão onde me encontro; contudo, conscientes de nossa pequenez, de nossas sérias limitações e da necessidade de nos reajustarmos perante as leis divinas, continuamos pesquisando dentro de nossas possibilidades. Sobretudo, buscamos investir nas incursões ao nosso mundo íntimo, a fim de compreender o porquê, a razão e o sentido de ainda nos mantermos tão atrasados, tão infinitamente distantes daquilo que poderíamos realizar e de tudo que se espera de nós, no que tange ao progresso e à evolução. Ao mesmo tempo, somos profundamente agradecidos pelos avanços conquistados e por sabermos que já não somos mais o que éramos antes, e que estamos no caminho de dias melhores.

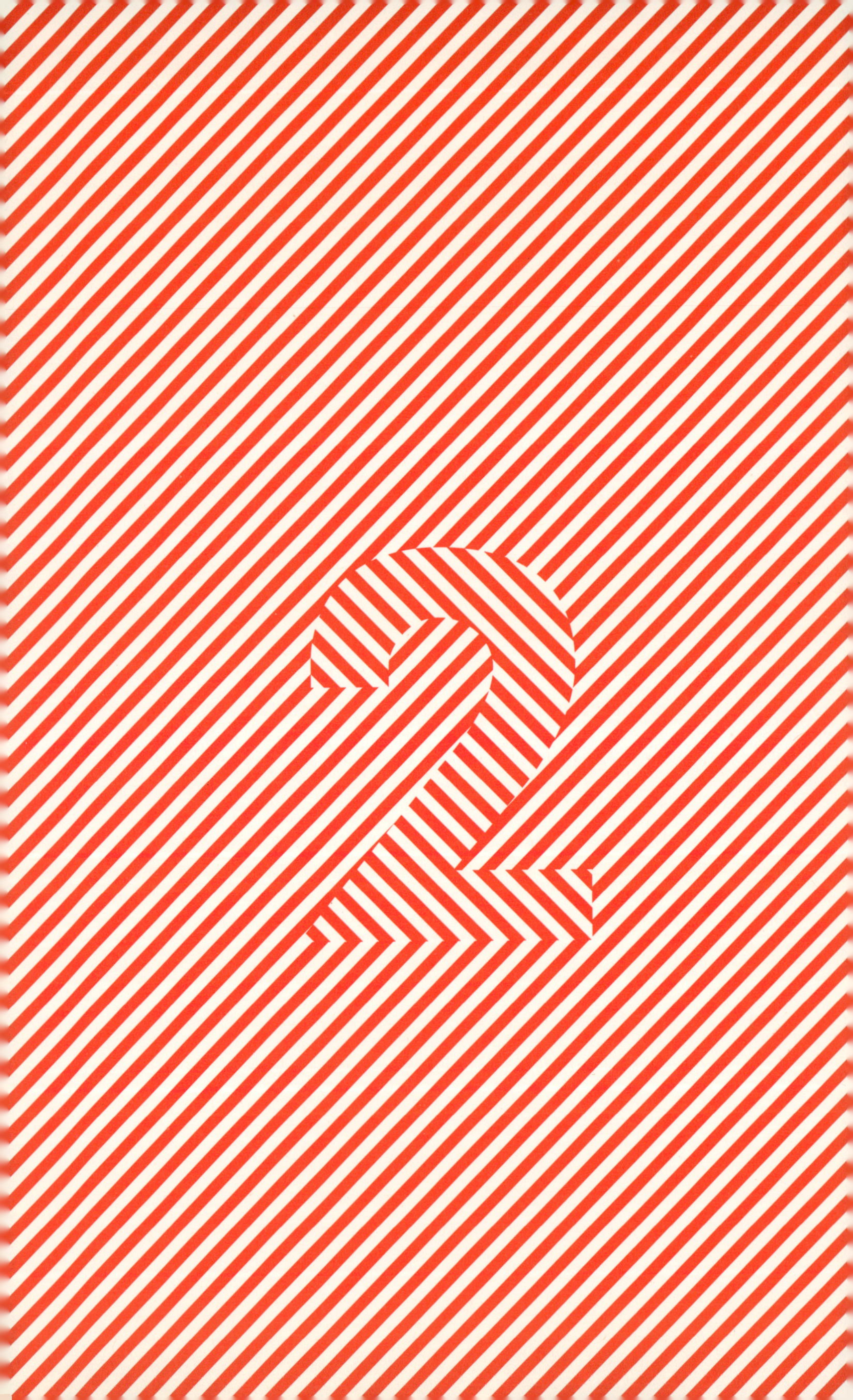
2

Onde está a alma da medicina?

O MUNDO PROGREDIU muito nos últimos 50 anos. Muito mais do que no período anterior, os últimos 20 séculos. Não obstante o progresso da tecnologia, que na medicina aprimorou as técnicas de análise, de aferição da saúde do homem, houve certa estagnação na qualidade humana do atendimento aos pacientes de uma forma geral. Sim, refiro-me ao processo de humanização da medicina, mas também dos representantes da medicina espiritual tanto quanto terrena. Muitos adeptos da ciência moderna, dos métodos mais tecnológicos, dos avanços técnicos a serviço da medicina terrena — algo realmente digno de menção e reconhecimento — perderam o sentido do afeto, da proximidade com o paciente, da necessidade humana de atenção. Quem sabe, até, olvidaram a realidade de que, ao lidar com pacientes, lidam não com aparelhos de robótica ou instrumentos de medição e detecção de enfermidades, mas com seres humanos como eles próprios.

Quanto mais o conhecimento vulgarizou-se e ampliou-se o acesso ao estudo da medicina, mais se perdeu a qualidade humana no contato com as pessoas. Compreende-se isso quando se tem em conta a necessidade de automatizar tudo, de atender o maior número de pessoas no menor tempo possível, tanto quanto a premência de ganhar mais e obter maior lucro com a profissão, presente em certos profissionais. Em alguns casos, mormente naqueles em que o profissional exibe nas paredes de seu consultório maior número de menções honrosas, diplomas, certificados e outros papéis — que para ele e um grupo seleto têm maior significado que o juramento de Hipócrates —, existe um comportamento digno de estudo e nota. Observam-se muitos desses profissionais perguntando ao paciente: "Quanto está disposto a investir em seu tratamento?". Antes mesmo de conhecer o histórico pessoal daquele que o procura, o interesse financeiro sobrepõe-se à qualidade de vida e à saúde do paciente e, então, compete diretamente com a qualidade do serviço prestado. Evidentemente, isso não é uma crítica a todos os profissionais de saúde; contudo, é uma constatação lamentável quando se observa boa parte dos meus irmãos que dizem representar a medicina ou o compromisso com a qualidade de vida de quem tem necessidade imediata.

Há ainda outra faceta digna de nota e pesquisa. Alguns profissionais ou estudantes escolhem a medicina muito mais pelo dinheiro que com seu exercício se poderá auferir, pelo ganho e pelas facilidades sociais do que por vocação, esquecendo-se ou desconhecendo o fato de que o médico, sobretudo, é o sacerdote da vida, e a medicina, um sacerdócio do mais alto grau de consideração, respeito e dedicação à humanidade.

Felizmente existem aqueles que se dedicam ao ramo da ciência humana ou espiritual — seja na área médica ou outra qualquer — como sacerdotes da vida. Investem seu tempo, seu talento e todos os recursos colocados à sua disposição para resgatar a alma humana, recuperar vidas, edificar qualidade.

Diante de tantas questões controversas que envolvem o comportamento do profissional de saúde em geral, seja técnico, enfermeiro, fisioterapeuta, dentista ou médico, pergunta-se: onde está a alma da medicina? Quando se fala em alma, quer-se dizer a essência do trabalho de saúde, o cerne que a um só tempo identifica e norteia o terapeuta, médico, enfermeiro ou trabalhador de qualquer área ligada à saúde humana. Onde está a ética ou o silêncio, quando necessário? Onde o respeito, em todos os campos de trabalho, e mais, a conexão com o paciente ou consulente, a qual influencia largamente sua recuperação?

Ao abordarmos essas questões, outras emergem em nossas reflexões: a medicina resume-se tão somente a uma profissão a mais? Trata-se apenas de uma fonte de renda e lucros ou terá, na vida do trabalhador de saúde, outro significado? Poderá a medicina atingir mais além do que o campo físico? Não está na hora de interessar-se pela parte emocional do ser humano? E quando será que o profissional de saúde compreenderá que está diante de um ser espiritual inserido temporariamente numa experiência física? Pode-se esperar um comportamento que leve em conta a realidade espiritual, interna, talvez até a formação religiosa do consulente?

Essas são perguntas que merecem reflexão, embora não estejamos sugerindo que médicos afeitos à postura mais clássica se transformem em indivíduos espiritualizados ou espiritualistas. Esta proposta, que surge aqui na forma de perguntas e reflexões, faz apologia de um comportamento humano, do processo de humanização da medicina, muito mais do que advoga medidas espiritualizantes, tampouco religiosas. Portanto, caso alguém imagine que postularemos mudança de religião por parte do profissional de saúde, não é isso que pretendemos, em definitivo, mas nos aproximar e descobrir a alma da medicina, disciplina que transcende e muito o mero tratamento de doenças e enfermidades. Descobrir a alma da medicina é, sobretudo, mergulhar na alma do paciente, é saber considerá-lo como um ser humano e não como fonte de renda ou cobaia de experimentações duvidosas.

Infelizmente, na atualidade, em diversos países do mundo, as exigências sobre o profissional de saúde são tantas e a complexidade da vida cotidiana parece haver aumentado de tal maneira, que o trabalhador da saúde se vê às voltas com pouco tempo e o máximo de pessoas a serem atendidas. Contudo, isso não deveria significar abrir mão da qualidade em nome da quantidade. Não se vê investimento na capacitação humanitária como deveria haver. Ao lado desses fatores de ordem administrativa, a ânsia por pagar as contas, ganhar muito e galgar posições sociais faz com que certos trabalhadores da saúde se vendam de tal maneira que o paciente passa a ser visto como um meio, um objeto a mais a dar trabalho e requerer tempo e dedicação, os quais muitos não se julgam capazes ou não estão dispostos a dar.

Por outro lado, os insuficientes ou maus investimentos na área da saúde, por parte dos governos e da administração pública, deixam a população descrente dos métodos tradicionais ou dos representantes legais de uma área que deveria ser uma das mais importantes no contexto humano e das ciências em geral. Esse quadro agrava-se quando se depara com a quantidade de erros e omissões, o descaso e a falta de dedicação, consideração e comprometimento humano com o lado sensível do indivíduo.

Como solucionar esses dilemas? Como enfrentar a falta de qualidade no serviço prestado ou, ainda, como estimular o trabalhador da área de saúde a se dedicar mais e despertar-lhe a vocação sacerdotal perante o ser humano? São perguntas que só poderão ser respondidas mediante um debate sincero e persistente, reflexões constantes e boa dose de abertura mental, de tal sorte que o indivíduo, o trabalhador da saúde ou quem quer que se envolva com a saúde humana, em qualquer medida, esteja receptivo ao menos a refletir e considerar a importância de tais temas.

No futuro, a ciência será a religião mais contagiante, mais adotada e divulgada no mundo. No entanto, para atingir essa condição, a medicina deverá migrar de apenas curadora de corpos para um processo de espiritualização ou espiritualidade, não adotando crenças desta nem daquela vertente religiosa, mas elegendo o ser humano como foco maior, como alvo ou rebanho a ser abraçado pelos sacerdotes da vida.

As mesmas reflexões nos levam a questionar os chamados curadores psíquicos, os terapeutas da alma e todos aqueles que de alguma maneira se envolvem com a recuperação da saúde do espírito ou do psiquismo humano. Ousar adentrar esse domínio confiando somente na intuição, sem estudar, aprofundar-se, sem munir-se de ferramentas adequadas para uma abordagem transpessoal eficaz, constitui, além de um risco, uma imprudência. Se os médicos estudam anos a fio, pesquisam, especializam-se e, ainda assim, às vezes meramente conseguem acertar um diagnóstico — e esse fato já dá motivo para satisfação —, quanto mais difícil é o exercício da cura por pessoas que pouco ou nada estudaram, que não investem no conhecimento e depositam toda a confiança em pequenos cursos e intuições — em alguns casos, mera imaginação fértil —, desconsiderando os avanços realizados pela ciência ao longo dos anos.

Há outro aspecto que também requer ponderação. Diz respeito à homeopatia, à antroposofia, às descobertas e aos experimentos no campo da medicina ortomolecular, entre outras especialidades que vêm ganhando corpo e reconhecimento nos últimos anos. Embora os avanços e o êxito notável de tais disciplinas complementares ou ramos da medicina, seus feitos não anulam — nem o pretendem, em sua gênese — tampouco invalidam os progressos da medicina convencional. Seria muito bom considerar que todos são métodos complementares, não necessariamente excludentes. Ou seja, não negamos a eficácia da metodologia de Hahnemann ou de outros expoentes, defensores ou criadores de determinadas metodologias menos agressivas ou de eficácia energética muitas vezes comprovada e outras, ainda, em fase de experimento. Contudo, não podemos esquecer que a penicilina, as vacinas, os medicamentos de variada ordem e especialidade da alopatia salvaram milhões de vidas e as salvam ainda hoje, apesar das opiniões contrárias. Em grande número de casos, quando prescritos por um profissional competente e conhecedor da ciência médica e de suas implicações, os recursos alopáticos não somente devem ser aplicados como estimulados, diante da necessidade real.

Onde está a alma da medicina? Será que se deve tratar o enfermo de maneira a prolongar sua dor, esperando resultados por vias ditas mais brandas, enquanto se pode estancar imediatamente o sofrimento a que está submetido? Que é mais importante: estancar a dor e o sofrimento ou provar que o método defendido por alguém é mais eficaz, brando e menos invasivo? No caso da dor humana, será ético ou construtivo esperar descobrir o que a dor tem a ensinar, qual a mensagem que a dor quer passar ou, ao invés disso, estancá-la, quando há condições, interromper rapidamente o sofrimento, usando os recursos mais avançados que a medicina tradicional oferece? Ante uma infecção, uma pneumonia, o que é mais adequado, o que irá ao encontro da necessidade do paciente? Usar o antibiótico, que poderá amenizar, curar ou erradicar o problema com maior rapidez, ou recusá-lo e lançar mão apenas da homeopatia, da fitoterapia e de medicamentos energéticos, enquanto se prolonga o sofrimento e se agravam os sintomas? Em muitos casos, a cirurgia benéfica pode ser o caminho ideal; em outros, o prolongamento da dor em nome de uma metodologia mais branda pode significar descaso perante os avanços científicos ou falta de comprometimento com o ser humano; quem sabe, até, não ter ideia da verdadeira dimensão da dor alheia.

O que intento demonstrar nessas palavras é que se deve primar pelo caminho do meio, o meio termo, o equilíbrio ou o bom senso, pois Deus colocou o cérebro acima do coração para pensarmos primeiro antes de tomar decisões emotivas ou sentimentais.

Quando o profissional de saúde mudar de posição e estiver ele como paciente, será a vez de avaliar sua metodologia, suas atitudes e suas reações. Se cada médico ou trabalhador de saúde se submetesse ao tratamento de alguma enfermidade por um sistema público de saúde precário, enfrentasse filas quase intermináveis à espera de um atendimento, de exames ou de uma simples vaga numa clínica qualquer, por certo teria outra visão de sua relação com o paciente. Caso fosse possível a esse mesmo profissional enfrentar um câncer, com todos os desafios com que se defronta uma pessoa comum em busca de socorro médico; se porventura fosse portador do HIV, com algumas de suas consequências, e ficasse em busca ou à espera de liberação do tratamento por parte de seguradoras de saúde; quem sabe, ainda, se permanecesse internado numa enfermaria qualquer, de algum hospital geral — com certeza modificaria sua forma de se relacionar com os futuros pacientes e entenderia melhor o que propomos à reflexão.

Quando uma pessoa que defende de maneira intransigente o uso de metodologias mais brandas, tais como a homeopatia e outras terapias complementares, vir um de seus familiares, ou vir-se pessoalmente acometida de um processo infeccioso, ou, então, receber a indicação de cirurgia ou tratamento quimioterápico ou radiológico, entre outros exemplos, talvez compreenda que nem sempre a posição radical é o melhor caminho. Quando alguém que endurece sua posição, ao rechaçar ou menosprezar os avanços da ciência de modo geral, estiver diante de uma ameaça grave à saúde, muito provavelmente perceberá que a conciliação de variada metodologia para a manutenção da saúde constitui o caminho mais adequado.

Descrevo esses cenários apenas para enfatizar que, em nenhum momento, cabe-nos desprezar as conquistas da medicina tradicional, evitando-a com fervor fundamentalista, tanto quanto seria leviano afirmar que tratamentos de caráter energético sejam inócuos, não produzam efeito. Por que razão, em vez de um método eliminar o outro, ou ambos competirem entre si, não podem simplesmente aliar-se? Necessariamente, não é preciso ser radical em nenhum dos casos; não se trata de recursos incompatíveis, absolutamente. Há sempre o caminho do meio, do bom senso, sem que seja prolongado de modo indefinido o sofrimento do paciente.

Como podem notar meus irmãos, não defendo, com minhas reflexões, nenhum tipo de radicalismo em termos de tratamento — seja ele espiritual, tradicional ou complementar. Meu objetivo é fomentar o debate, provocar uma tempestade cerebral, da qual possa emergir algum conteúdo em que o ser humano seja mais importante do que a metodologia empregada, e que a dor e o sofrimento sejam mitigados, tanto quanto possível.

Em qualquer situação, precisa-se rever urgentemente a postura dos trabalhadores da saúde humana, analisando-se onde está a alma desta medicina praticada pelos meus irmãos. Que é mais importante: tratar a doença ou amparar o doente? Que é mais urgente e principal: o dinheiro que o paciente ou consulente tem para investir no tratamento ou a busca por um tratamento adequado à realidade do indivíduo, de modo a não lhe negligenciar socorro? Atenuar, amenizar ou eliminar o foco da dor, para que o paciente tenha mais qualidade de vida, ou dispensá-lo, caso não disponha de meios financeiros? Tentar métodos mais brandos, embora eficazes, mas com efeitos mais lentos, ou aplicar os recursos da ciência médica para deter a dor e, depois, passar a utilizar terapias mais amenas, visando garantir a qualidade de vida? São perguntas como essas que devem ser respondidas a fim de se encontrar uma resposta que considere mais o ser humano que o método.

Repetimos: quando o trabalhador da saúde

estiver na posição oposta; quando for ele o paciente a enfrentar as diversas dificuldades desencadeadas no dia a dia para curar-se, para tentar de alguma maneira suavizar sua dor, talvez se tenha uma melhor visão do que falamos, isto é, da importância de humanizar as relações entre trabalhador da saúde e pacientes.

Isso não quer dizer que menosprezemos as dificuldades apresentadas no trato com o paciente. Não raro, os traços que fazem parte da sua natureza, do seu caráter, as características de sua personalidade, muitas vezes tão incômodos, são indigestos à convivência com qualquer um, mormente quando despeja o mal-estar emocional e a incompreensão sobre o profissional de saúde. Sem contar as ocasiões em que a falta de educação ultrapassa os limites do bom senso e da convivência pacífica. Mas esses casos, que não são raros, devem ser estudados em conjunto pelos profissionais, procurando soluções quem sabe mais firmes, porém não desrespeitosas; sobretudo, que não interfiram na qualidade do acolhimento daqueles que não guardam relação com os excessos de alguns. Em todo caso, o sistema precisaria de alguma maneira ser mais humano, considerando a necessidade de acolher, ao invés de afastar ou dispensar.

Há, ainda, outro importante aspecto a considerar, que se refere às condições e aos instrumentos colocados à disposição dos profissionais de saúde. Por vezes, exigem-se deles resultados e desempenho que, dado o contexto, tornam-se inatingíveis. Frequentemente, as condições de trabalho são desrespeitosas e mesmo ultrajantes; em muitos lugares, assistimos ainda à desconsideração com a pessoa do médico, do enfermeiro e dos demais trabalhadores da área. Não devemos perder de vista que se está diante de pessoas que são, apenas, humanas, embora alguns pensem o contrário. Não obstante o conhecimento relativo que possuam da natureza física do corpo humano, e alguns, até mesmo, da natureza energética, não podem fazer milagres. Operários de saúde não são escravos do sistema social, tampouco da carreira na qual militam. Como humanos, precisam se refazer, dispor de determinadas condições de trabalho, ser respeitados nas conquistas e nos critérios que permitam exercer sua função com o mínimo de qualidade. Isto é, o processo de humanização também passa pelo tratamento dado ao trabalhador de saúde, que muitas vezes tem de fazer malabarismos para conseguir desempenhar sua função com respeito pelo ser humano.

Tendo isso em vista, não há como despejar no trabalhador da saúde a indignação nem cobrar dele a falha que é de ordem administrativa, da competência de outros profissionais e órgãos, que são os verdadeiros responsáveis pela precariedade de recursos. Seria bom compreender que o trabalho exercido por profissionais da saúde depende enormemente dos instrumentos à sua disposição e dos recursos financeiros bem geridos pelo sistema de saúde, a fim de que o trabalho seja realizado dignamente.

É preciso levar em conta que, quando o trabalhador da saúde é submetido, por um sistema falido de administração dos recursos públicos, a trabalhar em condições desumanas, é ele quem se expõe perante a população e, assim, "dá a cara a tapa". Em países onde essa situação ocorre, quem dera os governantes, desde o presidente àqueles que administram diretamente os recursos que deveriam ser dedicados à saúde, pudessem enfrentar filas, buscar tratamento nos postos públicos de saúde ou se internar numa enfermaria, em caso de necessidade, e vissem como o povo enfrenta o dia a dia de suas dores. Quem dera, também, que houvesse uma consciência maior quando esse mesmo povo escolhe seus governantes, seus representantes eleitos, ou quando ocupa cargos na esfera pública, para que houvesse uma verdadeira mudança de paradigmas na condução desses e dos demais problemas, que só se resolverão quando as pessoas agirem em conjunto, procurando selecionar melhor aqueles que se alojam no poder público.

Até lá, temos de nos ver às voltas com a necessidade de melhorar sempre, de humanizar mais e incentivar ao máximo para que as pessoas possam se tratar com maior respeito e consideração. O campo da saúde humana é um verdadeiro sacerdócio, no qual o médico ou o terapeuta é aquele que deveria administrar o sagrado, em nome do povo, da maneira mais humana e respeitosa possível.

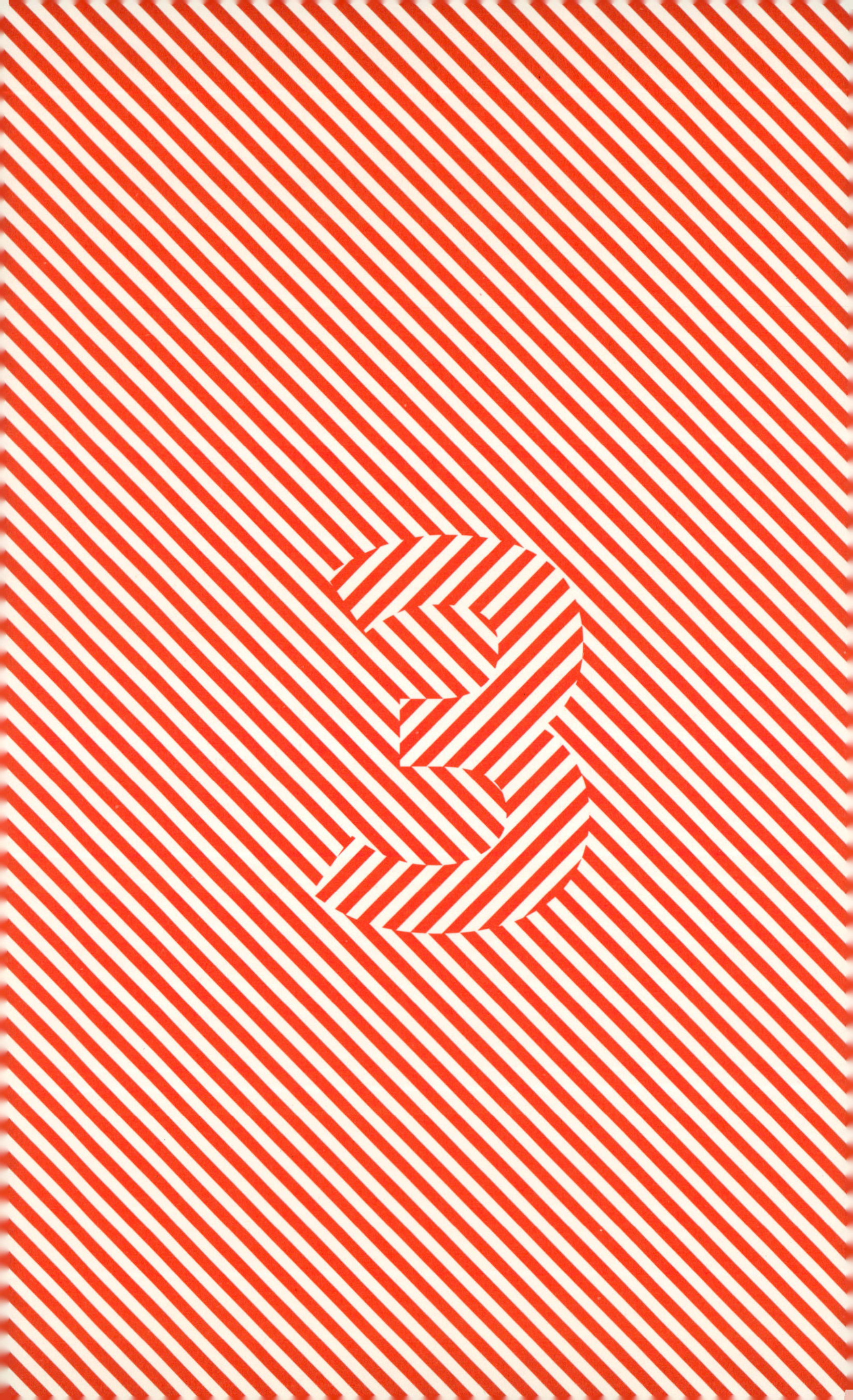
3

O papel do médico

QUERO ABORDAR neste item não somente o papel do médico no campo físico da medicina oficial, terrena, mas também o papel do médico do espaço, espiritual, ou seja, o médico-espírito.

Espera-se em geral que o médico tenha um sexto sentido para detectar os inúmeros problemas que o paciente, muitas vezes impaciente e exigente, apresenta-lhe. Médico não é clarividente, não é paranormal nem possui poderes de cura miraculosos. O paciente precisa se conscientizar de que ele próprio é o maior responsável pela manutenção de sua saúde e pela resolução do problema que o aflige.

O médico é um sacerdote da ciência, que exerce papel de orientador, estimulador dos processos de manutenção e preservação da saúde humana. Como tal, orienta o paciente e interfere, tanto quanto possível, em prol da recuperação da sua qualidade de vida, mesmo que essa interferência implique aprofundamento na problemática humana, através de uma incisão cirúrgica ou algum procedimento eventualmente invasivo, porém necessário.

Não obstante, temos de considerar, junto a essas observações, a responsabilidade da pessoa que se sente abalada intimamente com sua saúde, que parece esvair-se de seu organismo, como se tivesse vida própria. Que fazer quando o paciente ou consulente não se cuida ou quando a enfermidade, como ocorre na maioria dos casos, é o resultado de um tipo de vida não saudável, de descaso consigo mesmo ao longo do tempo ou quando é fruto de atitudes de desrespeito com a própria vida? Poderá o médico, porventura, fazer milagres? Poderá substituir o esforço do paciente ou consulente para se recuperar?

Essas mesmas considerações podem ser estendidas à medicina espiritual, que lida com pessoas a reclamar da medicina extrafísica milagres que solucionem problemas, em grande parte das vezes, cultivados durante toda a vida. A cura pede de cada um uma mudança imediata e radical na forma de se conduzir, no que se refere a sua saúde física, mental e emocional. O papel do médico espiritual, tanto quanto do médico da Terra, não é de curador, de quem subtrairá a responsabilidade da pessoa que o procura ou eliminará o foco da enfermidade, como se estivesse extirpando um tumor de maneira milagrosa, desmaterializando-o de dentro do organismo da pessoa.

Acima de tudo, deve-se estimular urgentemente uma reforma na maneira de ver e administrar a saúde humana. Refiro-me à necessidade de reforma de hábitos, da alimentação, da maneira de lidar com as emoções, os pensamentos e a própria natureza do corpo humano. Observem-se os hábitos arraigados nos últimos séculos quanto à alimentação, à saúde de forma geral, e o descaso do indivíduo com as ferramentas de manutenção da qualidade de vida, associado à entrega aos vícios de toda sorte, às ofertas do mundo moderno, ao sedentarismo e diversas outras situações. Ainda que possam ser imediatamente mais cômodas ou confortáveis, tais práticas comprometem a saúde do indivíduo, que transfere ao médico a responsabilidade de recuperar aquilo de que ele mesmo não cuidou nem deu o devido valor.

Por outro lado, há que se considerar que muitas doenças congênitas e hereditárias podem se associar diretamente ao passado individual, quando se compreende que o ser humano é muito mais do que um amontoado de músculos, nervos e ossos; é um ser energético, transpessoal, detentor de um histórico que antecede largamente o nascimento e projeta-se infinitamente além da sepultura. Enfermidades dessa natureza também merecem abordagem, visando à necessidade de a pessoa se reeducar num nível mais profundo. Em geral denotam que o enfermo é um espírito em fase de reajuste perante as leis da vida, as quais, em algum momento de seu histórico pessoal como espírito, ele desvalorizou ou menosprezou, desrespeitando-se de modo intenso. A enfermidade surge, então, como pano de fundo para a reorganização mental e emocional ou a reeducação em regime de urgência.

Dessa forma, o médico, seja ele encarnado

ou do plano espiritual, jamais poderá burlar a lei natural ou divina, tampouco impedir que a pessoa enfrente a colheita, que é compulsória, como resultado das sementeiras realizadas em seu passado. O máximo que o agente de saúde pode fazer — quando for permitido e nas ocasiões em que a pessoa compreende o processo e se interessa por participar dele — é amenizar, dar apoio e aumentar as chances de qualidade de vida, mas invariavelmente com o consentimento e a participação do consulente.

Geralmente, as doenças que estão formatadas, programadas no código genético do indivíduo têm causa anterior à vida atual, ao presente estágio físico. Contudo, certas enfermidades ocasionais, aquelas decorrentes de hábitos alimentares, de vícios e de uma vida desregrada na atualidade são produto de descaso com a própria saúde, invigilância da pessoa, desprezo pelos limites de sua vitalidade orgânica e outros fatores que podem, inclusive, influenciar os estados emocionais e psíquicos de meus irmãos. Por isso insistimos numa reforma da saúde que privilegie a remodelação dos padrões de vida, a educação alimentar e a urgente substituição de hábitos daninhos por outros mais saudáveis. Isso é algo que os médicos poderão somente orientar; jamais poderão substituir o paciente no momento em que este executa seu programa de reforma de conceitos e atitudes em relação à saúde. Emoções descontroladas, maus hábitos emocionais, ingestão indevida e desmedida de bebidas alcoólicas, uso do tabaco, falta de exercícios, de lazer ou de alegria são fatores preponderantes, e a transformação desse quadro é essencial para que a saúde humana seja restabelecida, mantida e estimulada.

Aos poucos, o médico da Terra, representante da medicina tradicional no mundo, verá que o homem precisa ser visualizado de maneira integral, e não fragmentada. E o próprio ser, tanto quanto seu médico, gradualmente perceberá que é um espírito eterno estagiando temporariamente num corpo físico, que se põe em incessante interação com o mundo sutil das energias do cosmo por meio de outros corpos, mais sutis, que estão em harmonia com outras dimensões da vida.

Sob essa ótica, será possível notar que muitas enfermidades estão associadas ao egoísmo, à egolatria, aos vícios morais, aos excessos da sexualidade em desarmonia, a atitudes mentais e emocionais descontroladas ou conflitantes. Se não levarem esse aspecto em conta, paciente e médico correm o risco de que o tratamento seja apenas paliativo e não atinja a gênese da problemática individual.

É claro que não incentivamos nem defendemos a tese de que se deva transformar o consultório em centro espírita, tanto quanto não se deve transformar o centro espírita em consultório médico. Contudo, ao se considerar o ser humano de forma não fragmentária, como um ser integral — composto de mente, espírito e corpos de natureza energética —, é essencial pensar seriamente na reeducação do paciente, em remodelar e reprogramar mente e emoções, objetivando a saúde integral. Quer se acredite ou não, o ser humano é um ser interdimensional, e o corpo não é único fator a ser tratado. Emoções, sentimentos, pensamentos e atitudes influenciam de maneira substancial o estado de saúde ou a enfermidade apresentada ao representante da medicina, seja terrena ou espiritual. Curar não significa apenas estancar a dor ou cicatrizar o ferimento; mais do que isso, a cura passa por uma reavaliação das atitudes e pela reprogramação das emoções, bem como pela reeducação dos conceitos e hábitos do paciente ou consulente.

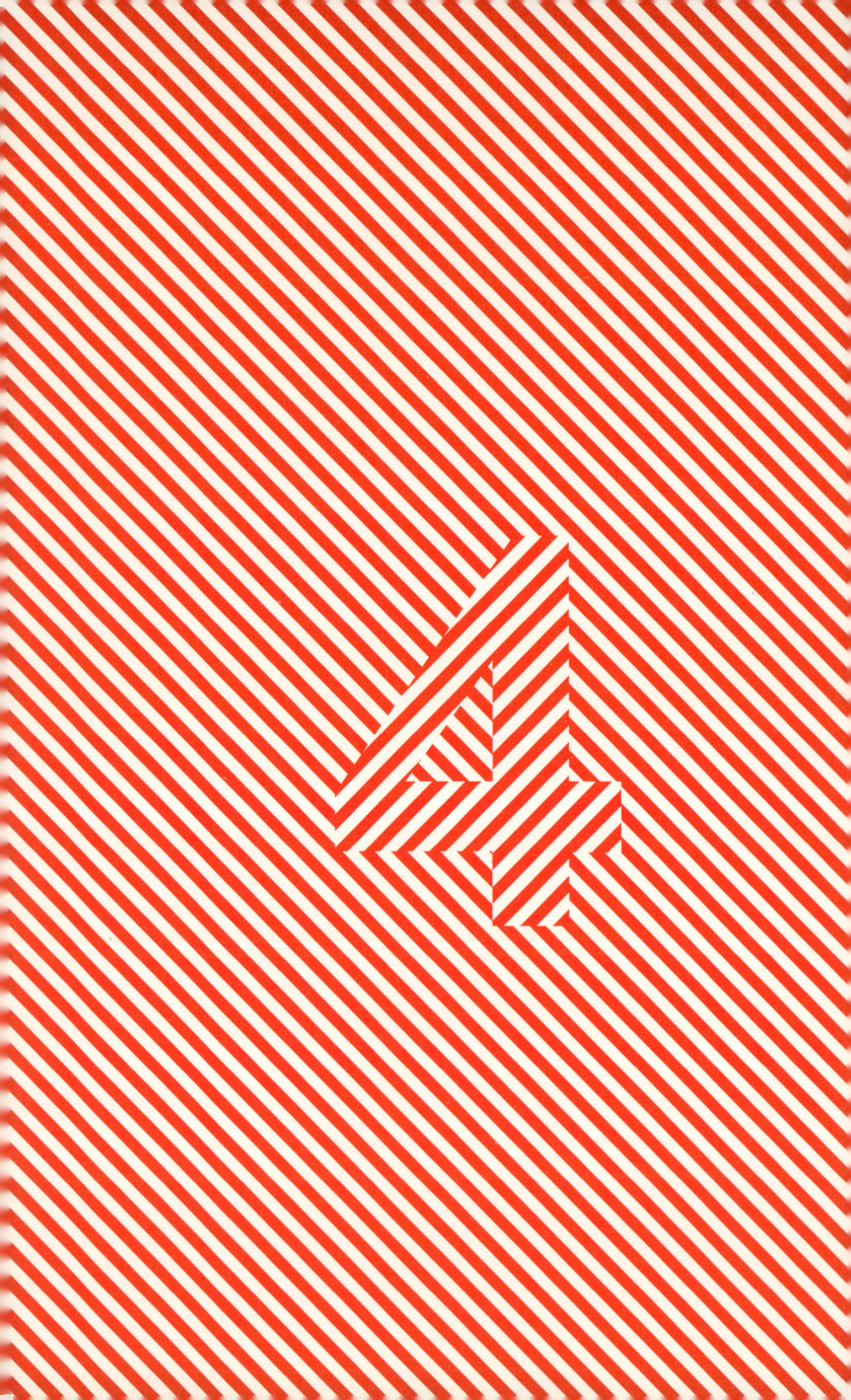
4

Onde está o doutor?

NO DIA A DIA da vida espiritual, desembarcam do lado de cá da vida muitos de meus irmãos que tiveram alguma experiência profissional no ramo da saúde, na Terra. Enfermeiros e médicos, terapeutas e psicólogos chegam, através das portas da morte, e encontram a verdadeira vida, muito embora nem sempre estejam preparados para o que encontram nesta dimensão da verdade. A morte é a grande reveladora da verdade a todos os irmãos da Terra. Constitui, ainda, uma grande decepção para aqueles que esperam que títulos, posições sociais, patrimônio e conhecimento que eventualmente detenham sejam considerados, do lado de cá, credenciais que lhes permitam continuar no mesmo estilo de vida. Não raro essa expectativa tem origem no desejo de aparecer, de brilhar, mesmo que temporariamente, e conduzir suas disputas, da forma como fizeram em sua última etapa de vida.

Meus irmãos já pensaram que, da mesma forma como ocorre com os médicos, chegam ao porto da vida imortal aqueles que foram, na Terra, engenheiros, lavadeiras, pedreiros, faxineiros e outros mais, que ocuparam cargos comuns ou viveram experiências em situação social e econômica simples e sem destaque?

Curiosamente, nunca vi nenhum espírito, ao se manifestar em determinado médium, apresentar-se como pedreiro José, engenheiro João ou lavador de carros Antônio. Nunca vi nem mesmo um dentista desencarnado apresentar-se a médiuns como o dentista Fulano... Talvez esse fato merecesse uma reflexão por parte de meus irmãos da Terra. Acredito, sinceramente, que fatores culturais advindos do passado colonial, no Brasil, fizeram com que meus irmãos espiritualistas dessem mais valor ao título de médico que ao de lavadeira; preferissem a alcunha de doutor à de professor ou a quaisquer outras. Em minhas reflexões como aluno da escola da vida, fico pensando como os títulos ainda são mais importantes do que as realizações ou como as aparências são mais intensamente consideradas do que a essência, entre meus irmãos da Terra.

Tenho encontrado, do lado de cá da vida, muitos irmãos que nunca ostentaram título algum outorgado pelas academias do mundo, aos quais reverencio como elevados orientadores evolutivos ou referências de vida espiritual elevada. O contrário também ocorre, quando vejo aqueles que, na Terra, tiveram a oportunidade de aprender a servir como missionários da saúde e da vida, auxiliando outros de meus irmãos a valorizar o maior bem do universo — a própria vida. Aqui não passam de mendigos espirituais, devido ao modo como representaram seu papel no mundo. E, quando digo isso, não estou me referindo à aparência de santidade e espiritualidade de muitos irmãos ligados à medicina terrena, mesmo que tenham algum ou muito conhecimento espiritual.

Descobri, ao aportar do lado de cá da vida, que título é apenas atestado de incompetência espiritual, nada mais do que isso. Posições sociais, e mesmo aquelas galgadas nos meios espiritualista ou acadêmico, consistem somente em entraves do lado de cá. Em regra, disfarçam emoções, sentimentos e, sobretudo, os verdadeiros objetivos de cada um, que permanecem disfarçados sob o manto de suas posições sociais, de sua fama temporária e ilusória, ou do *status* adquirido na vida material e social do mundo. Aqui, jamais me vi diante de doutores, engenheiros, advogados ou outros seres a ostentar títulos cuja valia, restrita à esfera humana, tenha sobrevivido à morte física. Descobri, apenas, que nossas pretensões, quando na Terra, habilitam-nos a determinado papel na vida imortal: a sermos admitidos como aprendizes da vida ou, quando muito, auxiliares invisíveis da humanidade, na condição de enfermeiros de Jesus, o grande médico das almas.

Infelizmente, meus irmãos da Terra — com destaque para meus irmãos espíritas e espiritualistas — ainda estão prisioneiros das aparências, valorizando muito mais os títulos acadêmicos ou profissionais e as posições sociais, como se tais elementos credenciassem a pessoa a determinados privilégios, fizessem-na especial ou diferente, ou dessem a suas palavras o *status* de expressão da verdade. Quanto mais empoladas e rebuscadas forem as palavras pronunciadas, mesmo incompreensíveis à maioria das pessoas, mais especial a pessoa é considerada, mais aplaudida. Mas eu pergunto: onde está Jesus e sua obra em meio à aparência e aos aplausos? Quem está sendo aplaudido, afinal: o porta-voz ou o autor da mensagem? Será que o representante se vendeu pelo preço das considerações humanas e, em troca de reconhecimento, entregou-se a uma disputa ilusória?

Em encontros, congressos e seminários de caráter espiritualista, as atrações em geral são apresentadas divulgando-se seus títulos e formação profissional, como se, perante a vida espiritual, as credenciais humanas ou o reconhecimento acadêmico tivessem o mesmo valor que lhes é atribuído nas solenidades e nas formalidades da Terra. Ao questionar tal prática, não quero desmerecer meus irmãos médicos, psicólogos, magistrados ou membros de qualquer outro ramo do conhecimento humano. Quero, sim, chamar a atenção para o fato de que, do lado de cá da vida, ainda e até agora, as realizações verdadeiras, o trabalho prestado ao bem ou à humanidade ainda são superiores às posições ocupadas por meus irmãos na última experiência de vida na Terra. Pelo menos onde eu tenho caminhado como aprendiz da vida, a regra ainda é: "pelo fruto se conhece a árvore".[1]

Isso me faz lembrar o grande médico das almas, nosso referencial maior, que é Jesus. Numa das ocasiões em que ele orou, demonstrando que seu ministério e seu compromisso com a humanidade estavam intimamente ligados à vontade soberana do universo, em uma oração que era uma espécie de desabafo de sua natureza humana, disse: "Graças te dou, ó Pai, Senhor do céu e da terra, que ocultaste estas coisas aos sábios e entendidos, e as revelaste aos pequeninos".[2]

Não quero, como espírito, indispor-me com

[1] Mt 12:33 (BÍBLIA de referência Thompson. Tradução de João Ferreira de Almeida Corrigida e Fiel. São Paulo: Vida, 1995. Todas as citações bíblicas são extraídas dessa fonte, exceto quando indicado).

[2] Mt 11:25.

meus irmãos da Terra. Contudo, é preciso alertá-los para o fato de que a vida espiritual não se baseia em posições e títulos, patrimônio e especializações — nem mesmo em muitas das interpretações de meus irmãos espiritualistas — para administrar o trabalho do lado de cá da vida.

Descobri, desde os primeiros minutos que aqui aportei pelos braços da morte, que deveria me colocar como aprendiz da ciência do espírito; que ninguém me reconheceria a não ser pelas verdadeiras aquisições do espírito e pelas realizações genuínas, e não pela fama ou posição social, nem mesmo pelo título que ostentei alguma vez sobre a Terra. A morte se incumbiu de destruir em mim qualquer pretensão de ser especial ou qualquer resquício de desejo de reconhecimento. Tenho aprendido, desde os primeiros momentos da vida no Invisível, que tenho muito que aprender; se alguma posição tenho galgado do lado de cá, é como enfermeiro da vida espiritual. Descobri, outrossim, que o que aprendi nas faculdades da Terra, tanto como médico quanto como físico, aqui representa, perante a magnitude do saber, apenas algo semelhante ao que representam, no mundo, os primeiros anos de alfabetização. Deveria começar tudo de novo.

Procurei os físicos com os quais me envolvi ou que admirei, quando ainda de posse do corpo físico, e não os encontrei. Saí à caça dos médicos, professores e instrutores que me iniciaram na medicina no mundo e também não os vi; até hoje não cruzei com eles em meu caminho. Somente consegui encontrar tais personagens destituídas do brilho momentâneo no qual as vi envoltas, sentadas na academia da vida, ao lado de algum anônimo, aprendendo a servir sem pretensões de aparecer ou de ser reconhecidas.

Demorei mais de dez anos reaprendendo, junto a pessoas humildes, a não esperar reconhecimento e a servir no anonimato. Enquanto isso, estudava a alma humana, fazia uma imersão em sentimentos, valores, emoções e na realidade íntima, a fim de descobrir outra forma de ver a vida, de entender a alma de meus irmãos e me iniciar nos estudos da ciência espiritual. Novos rumos se abriam ao meu espírito, aprendiz da vida; nova perspectiva era descortinada diante de mim, enquanto as ilusões do mundo material e da vida humana pouco a pouco se desfaziam, de maneira dolorosa, e caíam as máscaras da ilusão. Repentinamente, vi nascer um novo espírito em mim. À medida que ruíam os ídolos, as ilusões e alguns sonhos pessoais, reflexos de uma visão material, ressurgia o espírito, o filho de Deus. Além disso, fortalecia-se o reconhecimento íntimo de que eu não era mais médico; era apenas um auxiliar invisível, mais um humano entre humanos, vivo entre vivos da imortalidade, onde todos somos apenas espíritos e onde ninguém é chamado pelo título, nem é reconhecido ou se faz representar pela posição social ocupada antes, tampouco pela especialização concluída nas academias da Terra. Descobri, finalmente — para a paz de minha alma —, que aqui, neste outro universo, nesta dimensão além-física, somos todos servidores. Se porventura alguém pode ostentar genuinamente o título de médico, este alguém é Jesus, que preferiu ser reconhecido, apenas, como amigo e irmão da humanidade.

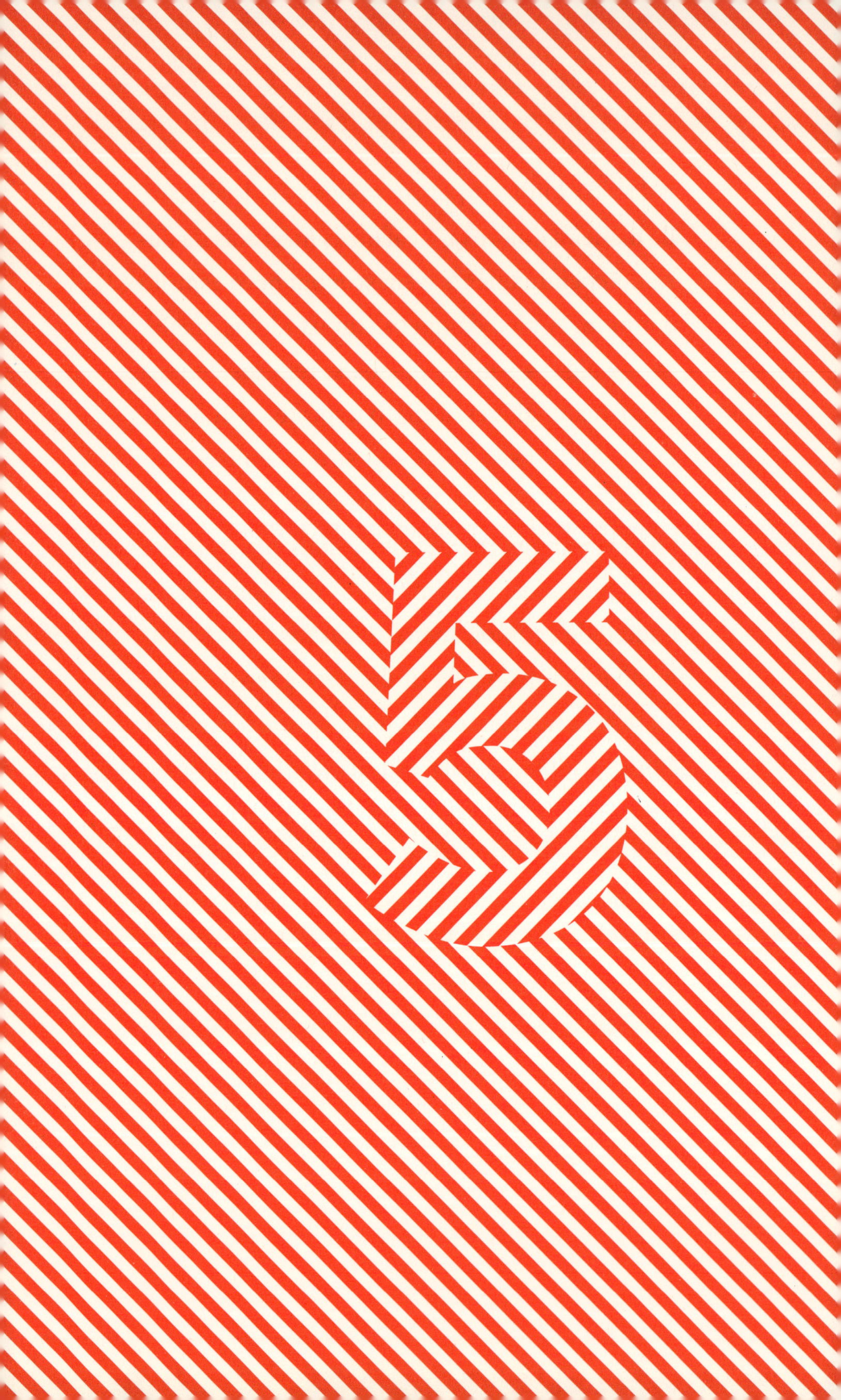

Humanizando a medicina terrena e a espiritual

AO LONGO DO TEMPO, a ciência vem progredindo substancialmente. Em suas incursões pela natureza humana, cada dia se tornam mais evidentes os desafios de restabelecer a saúde de forma integral, e não particularizada, compartimentada. Desde louváveis experimentos do passado, em épocas nas quais a ciência era conhecida como magia, alquimia e outros nomes, ela engatinhava no que concerne à adoção de uma metodologia como a que utiliza na atualidade. Hoje, no entanto, alcançou-se um patamar de aquisições como antes não houve, em todos os séculos contemplados nos compêndios de história. Mesmo assim, a medicina humana não pode tudo. Os médicos, seja de que dimensão eles forem, não são deuses. E os pacientes e consulentes, por sua vez, são muito mais do que números ou cifrões capazes de engordar em alguma medida as contas bancárias daqueles que não nutrem o devido apreço pelo célebre juramento de Hipócrates, ou simplesmente o descumprem.

A medicina aprimorou muitíssimo a metodologia de trabalho. Os recursos e métodos de observação do organismo humano e de diagnóstico alcançaram expressões mais e mais vultosas, em virtude da tecnologia. Todavia, grande parte dos que exercem a profissão médica e de outras carreiras ligadas à área da saúde perderam gradativamente a capacidade de interpretar a dor humana. Parece mesmo que, à medida que aumentaram os recursos tecnológicos, diminuíram sensivelmente as habilidades clínicas de observação, de percepção pessoal e de diagnóstico olho no olho, por meio da comunicação e da interpretação dos sintomas, dos sinais, das palavras e do histórico do paciente.

Nunca se empregou tanta tecnologia no trabalho de saúde como nos dias atuais. No entanto, a pressa de atender para satisfazer a necessidade ou as exigências do sistema, o pouco de tempo dedicado a cada consulente ou paciente, a falta de atenção à sensibilidade da pessoa que procura o tratamento, entre outros fatores, muitas vezes contribuem para que o profissional de saúde acerte cada vez menos o diagnóstico ou acerte bem menos do que poderia, dada a riqueza de informações disponíveis. Mesmo quando há acerto, não raro se vê pouca melhora no que se refere à necessidade humana de maior atenção. Afinal de contas, é preciso indagar: o objetivo da medicina é extirpar a patologia a qualquer preço ou essa finalidade está a serviço do bem-estar do paciente? Interessa somente a cura da doença ou, também, o que sente o doente?

Com essa constatação, não tenho a intenção de culpar o médico ou o representante da área de saúde. Não obstante, quero apontar a necessidade premente de se restabelecer um contato mais humano, uma relação mais aprofundada ou mais sensível com o indivíduo que se apresenta diante do trabalhador que promove a recuperação da saúde. Isso também vale para o agente do Invisível que se propõe a atuar sobre a saúde energética, espiritual, psicológica ou psíquica.

Muitos se aproximam do profissional de saúde já descrentes da vida, com um histórico de desilusões, fracassos e frustrações. E, não raro, encontram alguém que derrama sobre eles as próprias frustrações com o exercício profissional e o salário que recebe, quando não está emocionalmente desequilibrado, destilando indelicadeza e grosseria em quem nada tem a ver com suas insatisfações. Lamentavelmente, vemos quadro semelhante ocorrer também entre meus irmãos que afirmam representar os auxiliares invisíveis da humanidade.

Compreendemos que, com o aumento da população, da carência de recursos no atendimento aos que sofrem, muitas vezes o profissional de saúde ou o trabalhador do bem se veja compelido a encontrar outros caminhos ou extenuar-se a fim de atender os que o procuram. Contudo, um abraço, um sorriso afetuoso ou uma gentileza não exigem investimento financeiro nem permissão governamental. Caso o indivíduo assuma o trabalho profissional, espiritual ou de qualquer natureza como um compromisso com a humanidade, é conveniente levar em conta um dado claro: aqueles meus irmãos que sofrem ou que procuram o cuidado de saúde já estão exauridos. Muitas vezes, percorreram uma trajetória de dor e insucesso, estão esgotados em todos os sentidos; sendo assim, as emoções, fragilizadas, não permitem que tenham o bom senso ou a consideração devida perante os que se dedicam à recuperação da saúde alheia. Afinal, são enfermos não somente do corpo, mas, na maioria dos casos, da alma, também.

Diante dessa constatação, saibamos e reconheçamos que aqueles que denominamos convidados de Jesus — os que sofrem, os filhos do calvário — são muito, muito exigentes. As dores e dificuldades que vivenciam parecem, a seus próprios olhos, muito mais intensas do que as dos outros. Expressam suas queixas de maneira emotiva, dramática e acentuada, nem sempre refletindo a realidade interna ou externa, não obstante sofram, efetivamente. Quem pode assegurar que agiríamos de modo diferente, se estivéssemos em seu lugar?

A esses e outros necessitados, um sorriso, uma atenção nada especial, mas apenas humana, um abraço rápido, o interesse demonstrado por meio de uma pergunta particular sobre sua saúde ou outra coisa qualquer: tudo isso pode ter grande influência sobre a recuperação física, emocional ou energética do enfermo. Mas não somente isso. O profissional de saúde, o trabalhador da saúde integral, energética e emocional recebe, por sua vez, energias, emoções e uma carga de vibrações positivas apenas com um gesto que faz, que, para ele mesmo, pode nem ter significado. Muitas vezes, a atenção concedida com carinho, o afago nos cabelos, quando é possível e com o devido respeito, ou mesmo uma observação que eleve o nível de autoestima representam, tanto para quem doa quanto para quem recebe, um incentivo, um impulso capaz de solucionar muitas questões malresolvidas para ambos os lados. Quero dizer que o sucesso do atendimento profissional ou voluntário, seja de caráter médico, terapêutico, energético ou espiritual, pode ser largamente determinado pela forma como se recebe, como se trata ou se conduz a interação com aqueles mais necessitados do que nós, pelo menos naquele momento.

Costumo observar, ainda, como aprendiz nestas minhas andanças de estudo e pesquisa, outro aspecto interessante, agora relacionado estritamente ao atendimento espiritual de saúde. Muitos irmãos nossos que se dizem médiuns, no intuito de dar ao espírito que atua através deles uma feição diferenciada, querendo fazer parecer o que o espírito não é, emprestam certa grosseria à comunicação, imputando ao espírito atitudes e maneirismos que não lhe são próprios. Atribuem-lhe um comportamento rude, sem qualquer polidez, como se essa atitude fizesse parte da cultura espiritual do ser invisível que supostamente opera através deles. Com efeito, chegam a dizer: "O espírito que atende através de mim, o mentor tal ou qual, é muito bravo". Ora, sendo espírito ou não, sendo médico encarnado ou homem desencarnado que pretende conservar títulos e posições sociais da Terra, mesmo na erraticidade falta de educação não é traço cultural.

Grosseria não se confunde com firmeza; ser indelicado, agir de maneira tosca jamais pode ser admitido como algo necessário ou ser considerado sinônimo de comprometimento, de responsabilidade profissional ou espiritual. Ao contrário, quem serve tem a obrigação de compreender a necessidade humana. Se porventura naquele dia despertou sentindo-se mal, se a vida não está correspondendo às suas expectativas, por que descarregar no outro a insatisfação com dramas que são de ordem pessoal? Quanto ao espírito mandão, grosseiro, mal-educado, pergunto: será mesmo essa atitude do espírito ou o médium, que acaba dando vazão a alguma característica reprimida? Caso se chegue à conclusão de que é o espírito, com certeza o médium precisa ser conduzido à desobsessão, em regime de urgência, pois reclama mais preces e cuidados do que o consulente que o procura, enganado pela fama fútil de que goza, quem sabe.

No trato humano, por mais influência que possa exercer a cultura da pessoa que atende os sofredores — seja no mundo físico, seja no espiritual —, polidez, educação, gentileza e amor deveriam prevalecer, em vez da falta de preparo vista em muitos que deveriam se investir do sacerdócio sagrado de quem representa a ciência, a medicina ou a ciência espiritual. Perdoem-me meus irmãos, mas ao falar sobre esse tema incluo, também, os trabalhadores e auxiliares invisíveis. Como aprendiz e estudante da ciência do espírito, já presenciei muitos espíritos passando-se por médicos do espaço, mas que precisam urgentemente se reeducar; reaprender, através da reencarnação, atitudes mais brandas, suaves e humildes, desenvolvendo a cortesia, a gentileza e a suavidade no contato humano. Grande número de terapeutas, médicos, médiuns e outros trabalhadores que abraçaram o ministério sagrado da abordagem do sofrimento alheio por certo precisaria mudar de lugar, estar temporariamente do outro lado da situação, como paciente, para sentir o impacto das palavras, dos gestos, da comunicação e das emoções sobre quem vive a dor. Como observei anteriormente, caso houvesse essa mudança temporária de posição, com certeza nosso contato com os que sofrem seria bem diverso do que se vê ocorrendo, na maioria das situações.

Com efeito, humanizar urgentemente nossa relação com consulentes, pacientes ou trabalhadores de qualquer área é o desafio para alcançarmos mais qualidade e respeitarmos o outro em suas limitações, bem como em suas aquisições e conquistas. Embora eu me dirija a trabalhadores da saúde, a agentes da misericórdia divina, a representantes do Invisível ou àqueles que praticam assistência extrafísica, permito-me relembrar as palavras de certo filósofo e praticante da medicina no passado: "Tudo o que quiserdes que os homens vos façam, fazei-o assim também vós a eles".[1] Para mim, que sou um despretensioso estudante e aprendiz da ciência espiritual, é o maior apelo de todos os tempos para a humanização das relações interpessoais, profissionais, espirituais, em qualquer época.

[1] Mt 7:12 (BÍBLIA Sagrada. Tradução de João Ferreira de Almeida Revista e Atualizada. Barueri: Sociedade Bíblica do Brasil (SBB), 2000).

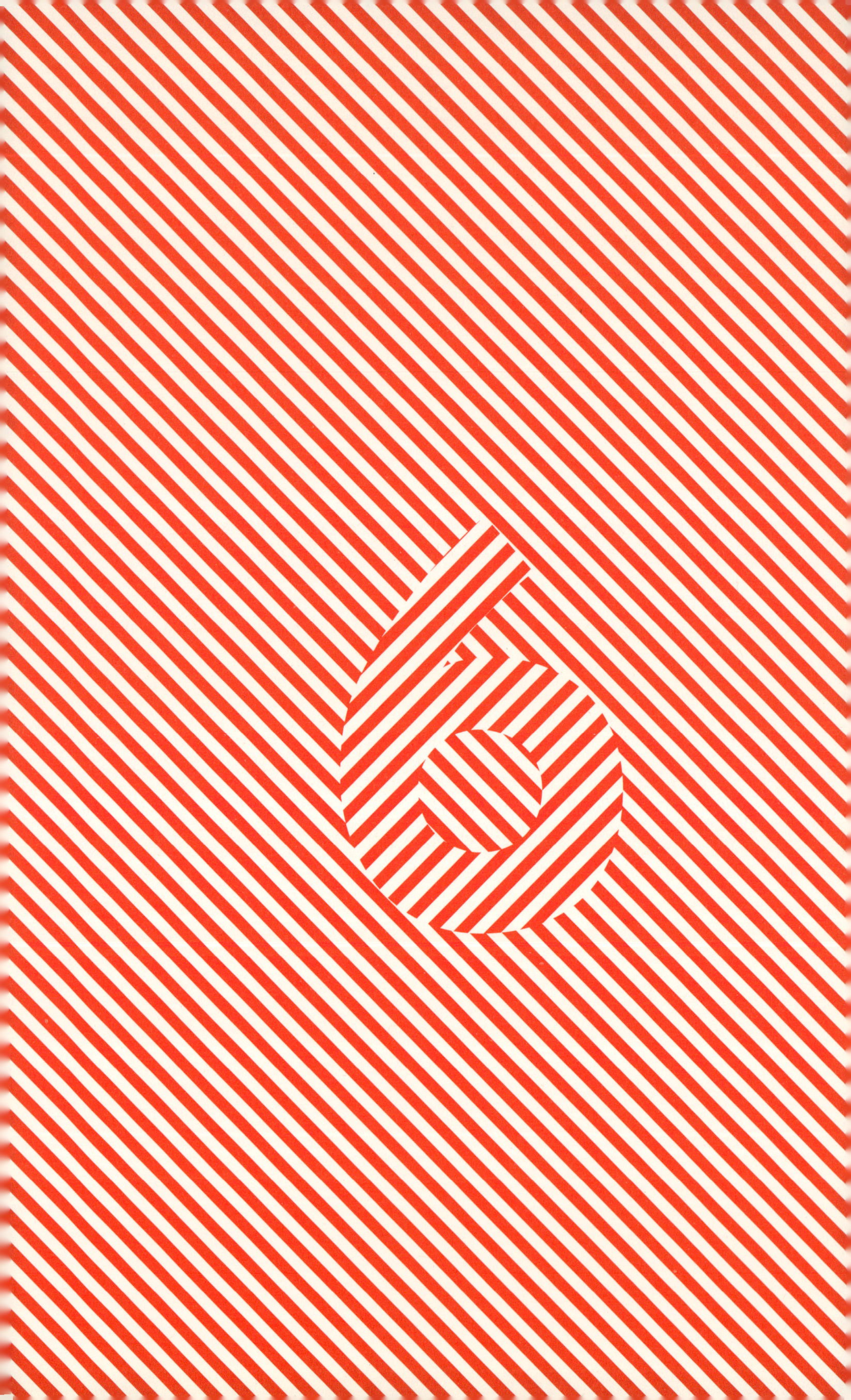

Médico, médiuns e sua missão

MUITOS MÉDICOS, ao escolherem como campo profissional a saúde humana, podem estar obedecendo ao impulso de sua alma, à sua vocação como missionário nessa área. Porém, nem sempre essa escolha é fruto de convicção quanto à vocação; também ocorre quando, no passado, a pessoa menosprezou tanto a própria saúde quanto desvalorizou a vida alheia, usando instrumentos que, de alguma forma, desmereceram a qualidade de vida de outras pessoas. Nessa hipótese, o espírito assume novo papel no palco da vida trabalhando como médico, mas não somente, pois pode assumir também outras funções associadas à manutenção da vida e da qualidade de vida. Por exemplo, poderá atuar como médium de médicos do espaço, como magnetizador ou curador psíquico, tanto quanto trabalhar ligado ao sistema de saúde, em qualquer atividade.

Outro caso a ser considerado é quando a pessoa atenta contra a própria vida, consegue executar um plano de autoextermínio e, posteriormente, ressurge em novo contexto social como médico, médium de cura ou trabalhador da saúde. Ou seja, revisita seu passado à medida que resgata vidas, aprendendo a valorizar, tanto quanto incentivando outros a valorizar e preservar a vida humana, inserido que está num processo de autoeducação.

Quando ocorre assim, como ajuste patrocinado pela lei divina, nem sempre a pessoa demonstra estar satisfeita com o trabalho ou a profissão que desempenha. Sente-se quase obrigada ao desempenho de sua função ou, então, passa o tempo de sua vida profissional, ou de sua tarefa mediúnica, em constante conflito, não se enquadrando na tarefa que exerce. Chega mesmo a duvidar da eficácia dos métodos utilizados pela medicina ou pelas outras áreas em que foi conduzido a trabalhar, pelas leis da vida.

Essas são pessoas que, mesmo depois de

anos de dedicação ao trabalho, ainda não sabem por que atuam nessa área, tampouco se sentem satisfeitas e realizadas com o que fazem. Muitas vezes, esse é um peso que carregam consigo, embora não logrem, por razões que não conseguem diagnosticar com clareza, libertar-se ou liberar-se para exercer outro tipo de atividade. Parecem jungidas ao trato com a saúde; não obstante a insatisfação, sentem-se prisioneiras dos compromissos assumidos. Mesmo quando se aposentam, isto é, quando acabam conseguindo se afastar da profissão ou da tarefa a que se dedicaram anos a fio, veem-se encaminhadas, inadvertidamente, a um ramo de atividade alternativa que também está ligado à saúde. Às vezes trabalham como terapeutas, vinculados à área holística, ou como magnetizadores e médiuns de cura, envolvendo-se de qualquer maneira com a saúde humana, embora conservem, em sua maioria, suave insatisfação, que persiste e está presente em suas ocupações. Nesses casos, a imersão num novo corpo, num contexto social diferente daquele no qual se rebelaram contra as leis divinas ou tiveram conduta que desmereceu ou desrespeitou a saúde e a vida, parece ser uma imposição que visa ao aprendizado e à reeducação.

Felizmente, existem outros mais, que aproveitam a oportunidade para, de alguma maneira, resgatar com amor os desacertos do passado, tentando se adequar ao papel que representam momentaneamente no palco dos acontecimentos no mundo. Há aqueles que, obedecendo à vocação de servir, aprofundam seu conhecimento e alargam as fronteiras de seu saber, de maneira a serem mais úteis, pois amam aquilo que fazem e procuram fazê-lo com o máximo de dedicação. Outros há que, mesmo não exercendo sua profissão na área de saúde, como os demais, escolhem ou são induzidos a ser curadores psíquicos, médiuns que doam suas energias, seu tempo e talento operando como magnetizadores; aperfeiçoam sua capacidade de doação com vistas à recuperação e manutenção da vida de milhares de pessoas que os procuram.

Em qualquer situação na qual se encaixem, os que gostam do que fazem geralmente podem ser considerados missionários da vida a serviço da valorização da vida humana. Isso não quer dizer que sejam missionários no sentido de serem espíritos de escol, mas na dedicação e no fervor com que se entregam ao serviço.

De modo geral, médicos, enfermeiros e outros profissionais da área da saúde são, na verdade, seres que no passado assumiram dívidas imensas com o ser humano, perante as leis divinas. São pessoas que, em matizes variados, agiram de modo a ceifar vidas, desrespeitá-las, ou mesmo incentivaram outros a desvalorizar aquele bem mais importante no contexto das experiências no planeta. Em muitos casos, são almas que atentaram contra a própria vida. Por isso mesmo, em todas essas possibilidades, resgatam o peso do seu passado sob os deveres que lhe são atribuídos, que deveriam ser desempenhados com dedicação incondicional, amando e servindo, trabalhando e mergulhando sua alma na alma dos pacientes. Assim, investiriam na vida, recompondo a autoestima ou recuperando a saúde de quantos os procuram, muitos dos quais são aqueles mesmos que, no passado, o profissional da saúde agrediu ou vilipendiou, concorrendo para o desmoronamento de sua vontade de viver, tirando-lhes a oportunidade de viver, e viver com qualidade.

Encontramos, entre as pessoas que militam nessa área, muitos carrascos do passado, os mais diversos vilões da vida alheia, revolucionários que desencadearam processos dolorosos em multidões ou artífices de guerras, que abusaram do momento, aproveitando para aumentar a dor dos seus adversários ou abusar da posição que ocuparam para tirar proveito da dor, da morte ou do sofrimento alheios. Raros são aqueles que mergulham na carne enfrentando o contato com doentes e enfermos por altruísmo ou por pura vocação. A bondade divina determina que o mal do passado e os desatinos cometidos sejam resgatados em regime de serviço ao próximo, no exercício do amor, uma vez que muitos de nós ainda não sabemos amar em plenitude.

Talvez esse fato pareça excessivamente duro para meus irmãos ligados à área da saúde, desde terapeutas a médicos, passando por médiuns e curadores psíquicos, enfermeiros, psicólogos, fisioterapeutas, fonoaudiólogos e outros. Contudo, podemos ter a certeza de que somente com a dedicação, o desenvolvimento do amor e o trabalho em prol do semelhante é possível reerguer-se perante a própria consciência e as leis divinas ou da natureza desrespeitadas no pretérito.

Levando-se em conta o passado comprometido de muita gente, é de se compreender a necessidade de desenvolver uma relação de maior sensibilidade, proximidade e consideração com os sentimentos e emoções das pessoas que a vida encaminha ao encontro de meus irmãos. Um médico pode ser um missionário sob regime de trabalho, servindo ao próximo, mas jamais poderia desprezar as almas que lhe são encaminhadas ou desmerecer a dor alheia. Nunca a posição social, o ganho financeiro ou outras regalias quaisquer deveriam desviar o missionário da vida daquele que é o objetivo principal de sua função: cuidar do ser humano.

Princípio equivalente se aplica aos curadores psíquicos, paranormais ou médiuns cujo trabalho esteja associado, em alguma medida, à saúde humana. Não importa o contexto em que sejam chamados a servir ao próximo: no cerne está o dever. E a principal finalidade do trabalho é a função educativa, para ambos os lados, tanto para quem se dedica à tarefa de servir e reerguer o ser humano, quanto para quem sofre e procura auxílio espiritual ou material a fim de aplacar as dores e o sofrimento. Muitíssimas vezes, tanto o médico quanto o médium de cura, e mesmo os seres extrafísicos que atuam através de ambos, não têm condições de fazer o que o paciente procura ou deseja, que é promover a plena recuperação da saúde. Muitos os procuram já tão desgastados e com a saúde comprometida a tal ponto que não há muito mais a fazer do que amparar, acolher e consolar. Em muitos casos, embora a vontade de servir e solucionar os problemas da saúde, pode-se tão somente aliviar as dores, buscando proporcionar maior qualidade no preparo para a grande viagem da vida, a morte, que se aproxima a passos largos.

Nesse caso, e em muitos outros, a morte não deveria ser vista como algo contrário à lei da natureza ou como inimigo a ser combatido, porém como processo libertador e liberador de energias densas acumuladas nos corpos sutis e no físico, as quais devem ser drenadas para a terra em regime de urgência. A médicos e médiuns é altamente recomendável o estudo sobre o preparo para a morte e o morrer, adentrando os portais do Invisível também como parceiros da vida, a fim de auxiliarem muitas pessoas a transpor esse momento com a máxima serenidade possível. É muito bom e mesmo reconfortante pensar que nem todas as enfermidades existem para ser curadas; conscientizar-se de que, mesmo fazendo todo o possível, dando a atenção que o ser humano merece e de que carece nos momentos de dor e sofrimento, cada um colhe na medida exata em que plantou. Não obstante, a misericórdia, a cordialidade, o respeito pelo momento do outro, os cuidados que o próximo merece, como ser humano, devem ser levados em conta, evidentemente.

Servir é muito mais do que oferecer o recurso da ciência ou a atenção ao sofredor. Servir como missionário da vida é, sobretudo, desenvolver a compaixão, a generosidade e o respeito de que o outro carece para que enfrente o momento delicado em que a saúde se dilui e a alma se sensibiliza, a fim de despertar no próximo o sentido do compromisso sagrado com a própria vida.

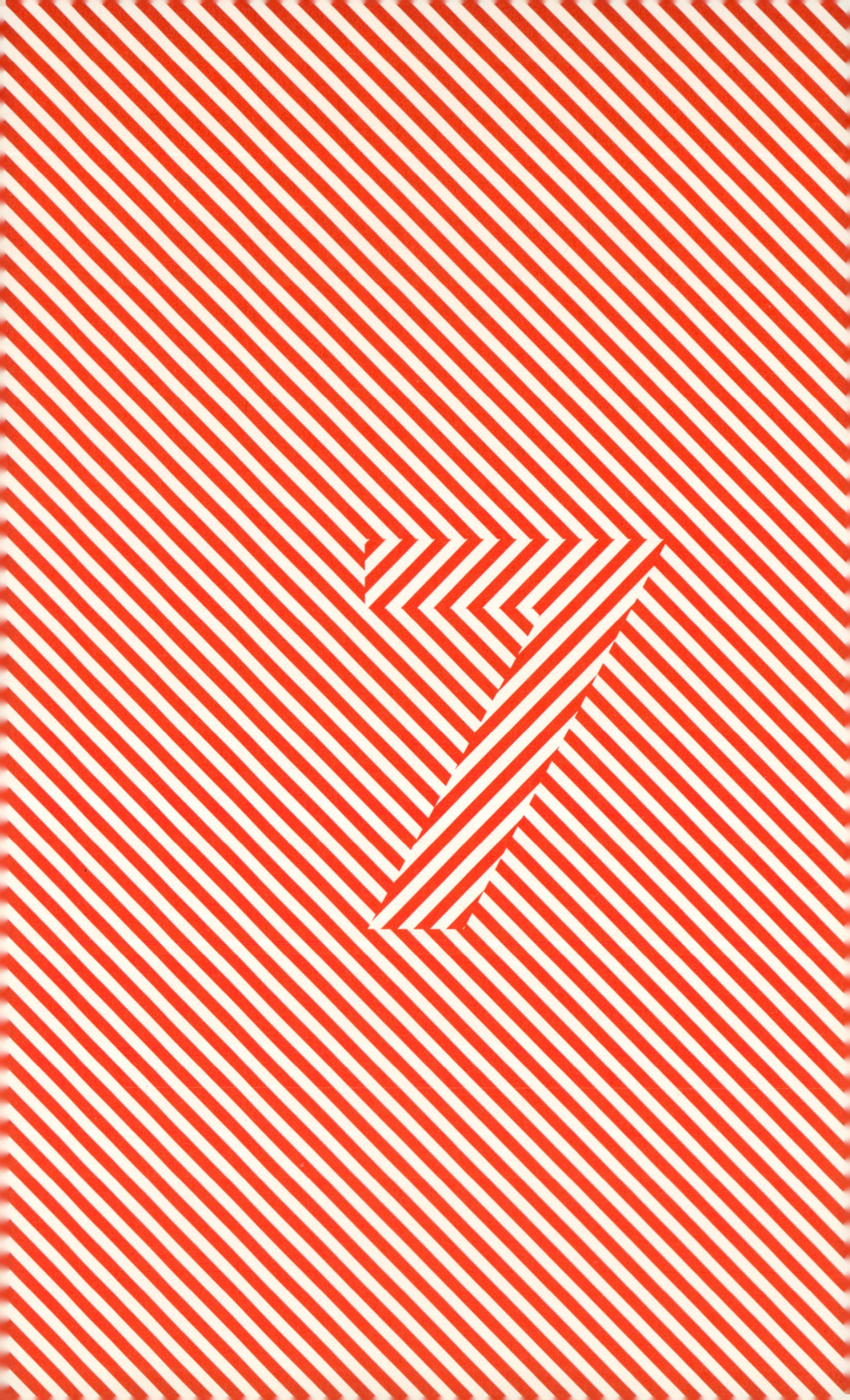

Expurgos enfermiços

DIANTE DE INÚMERAS enfermidades não curadas tanto pela medicina terrena quanto pelos médicos de outras dimensões, é necessário entender a doença como processo intimamente vinculado à alma, ao espírito. Independentemente de meus irmãos concordarem ou não, terem ou não conhecimento de certas leis da vida e do universo, há um tipo de organização e legislação moral incutidas pelo supremo arquiteto no âmago do sistema de vida cósmico. Virtudes e desequilíbrios — ou *pecados*, conforme queiram meus irmãos — são fatores reais, que influenciam muito a situação do espírito, dentro e fora do corpo. Sem adotar postura moralista ou legalista, é imperioso esclarecer como tais fatores determinam a permanência do ser espiritual em situações aflitivas, em qualquer dimensão da vida.

Como já falamos em outra ocasião, o pensamento é a base de tudo no universo.[1] Uma vez que virtudes e desequilíbrios representam direcionamentos do pensamento do homem, é fácil notar que todos os atos têm sua origem no pensamento. Como matriz geradora das emoções e das formas mentais, também é natural inferir que o pensamento pode estar enfermo ou saudável, independentemente do estado aparente ou transitório apresentado pelo corpo físico. Em algum momento, os registros impressos no DNA farão com que surjam no corpo os efeitos das atitudes inadequadas e, muitas vezes, criminosas perante os estatutos divinos impressos na consciência. O corpo físico, abençoado templo erguido para a expressão da consciência e fruto da generosidade da Providência Divina, refletirá os impactos mais ou menos intensos dos arquivos da memória espiritual. Mesmo depois de en-

[1] Cf. PINHEIRO, Robson. Pelo espírito Joseph Gleber. *Além da matéria*: uma ponte entre ciência e espiritualidade. 10ª ed. rev. Contagem: Casa dos Espíritos, 2011. p. 70-71, 134-135.

frentar a transição, em que o espírito abandona o corpo definitivamente, os despojos, ainda assim, servem como fio-terra, despejando na natureza os fluidos mórbidos e nocivos, acumulados na memória celular a partir da conduta de seu antigo habitante.[2]

Em sua vivência no mundo físico, no vaivém das experiências sensoriais e sociais, o homem movimenta, atrai e acumula fluidos tóxicos, densos, perniciosos ou contaminantes, advindos do mundo oculto e astral e, não raro, do plano etérico, onde ganham peso específico e se tornam semimateriais. Quase materializados, tais fluidos são atraídos pelos sistemas nervoso e linfático, sendo distribuídos no organismo fí-

[2] Ante a insólita informação de que os despojos atuariam como fio-terra, descarregando fluidos mesmo após o desencarne, Joseph Gleber, questionado a respeito, reiterou o sentido de suas palavras. Lembrou que geralmente o duplo etérico só se dissipa ao fim de um intervalo aproximado de 40 dias após a morte, muito embora a intervenção espiritual possa alterar bastante esse prazo. É durante esse período que são drenados fluidos densos para a natureza, por meio dos despojos — aos quais o duplo permanece ligado até a completa desintegração.

sico. Convertem-se em resíduos de variada complexidade, extremamente deletérios para o funcionamento do organismo e de suas células. Ao mesmo tempo, o perispírito descarrega no corpo o conteúdo endógeno infectado, que advém das emoções explosivas, descontroladas ou corporificadas através de atitudes que contrariam a lei geral do equilíbrio universal, a qual funciona tanto no macrocosmo como no microcosmo da realidade humana.

Diante desse conhecido descenso vibratório, meus irmãos experimentam o embrutecimento das faculdades anímicas e o fortalecimento da relação com a matéria bruta; daí, acabam se focando nas dores e sofrimentos advindos dos impactos energéticos e interpretados pelo cérebro físico de acordo com a maturidade de cada um.

Quando o espírito decide reeducar-se, deixando sua consciência assimilar os princípios superiores das leis divinas, aprende a respeitar os limites de seu organismo, que lhe foi dado como instrumento de trabalho; a partir de então, atrai recursos menos densos, mais sadios e equilibrados. Mesmo assim, muitas e muitas vezes, não há como deter o processo de descenso vibratório dos fluidos mórbidos, uma vez que a lei não isenta ninguém do cumprimento de seus ditames. No máximo, pode haver uma suave interferência do Alto, amenizando o processo ou desdobrando-o em várias etapas, menos dolorosas e sofríveis.

Reiteramos: não há como isentar quem quer que seja do cumprimento da lei de causa e efeito — ou lei do carma, conforme interpretação de algumas correntes espiritualistas. Como a Divina Providência e seus representantes não visam apenas à cura do corpo, mas sobretudo à recuperação do espírito imortal e ao alijamento da carga tóxica aderida às células do organismo perispiritual, a cura virá à medida que esse conteúdo for expurgado, liberando-o do fluido mórbido acumulado em sua tessitura delicadíssima.

A recuperação da saúde integral, da saúde das emoções e do que podemos chamar de saúde moral é o principal fator que importa aos espíritos comprometidos com o bem, no que diz respeito a meus irmãos encarnados. Com frequência, somente em futuras encarnações é possível expurgar totalmente a carga de fluidos nocivos de determinado perispírito, quanto mais tratar as cicatrizes do corpo mental. Assim sendo, no que se refere às enfermidades oriundas da profunda contaminação perispiritual, somente o tempo e, em alguns casos, o expurgo doloroso serão capazes de realizar a limpeza perispiritual, drenando para futuros corpos físicos o excesso de energias nocivas acumuladas. Ou seja, nem sempre a enfermidade atual é suficiente para drenar o produto fluídico das emoções desajustadas e das atitudes enfermiças.

Espero que, com minhas palavras, meus irmãos não concluam que estou fazendo apologia da dor e do sofrimento como elementos de redenção da alma. Não é isso, até porque nem sequer estou falando de redenção, mas de um processo da fisiologia astral, que é o expurgo de fluidos mórbidos. Reportemo-nos ao que diz nosso mestre e médico das almas em seu tratado de ciências do espírito conhecido como Evangelho, em duas passagens cuja interpretação de meus irmãos costuma ser bastante confusa. Na primeira, ele afirma: "E aquele que der até mesmo um copo de água fresca a um destes pequeninos, (...) de modo algum perderá a sua recompensa".[3] Logo adiante aborda a salvação.[4] E são duas coisas completamente distintas. Fazendo um paralelo, em minhas palavras menciono o expurgo de um tipo específico de fluido mórbido das células do corpo psicossomático, necessário, por vezes dolorido, mas que de modo nenhum significa redenção ou reconstrução do futuro do espírito, o que se dará apenas pela vivência do amor. E falo do amor como algo que ainda estamos distantes de compreender e praticar.

Retomando nosso pensamento sobre enfermidades e processos de cura, há diversos elementos do mundo extrafísico que podem se manifestar no corpo físico na forma de enfermidades, por meio dos processos de contaminação espiritual e energética. Entre eles, podemos citar fluidos mórbidos, vírus do astral, toxinas psíquicas, vibriões, larvas e outros elementos que

[3] Mt 10:42 (BÍBLIA Sagrada. SBB. Op. cit.).

[4] Cf. Mt 11.

aderem aos campos psíquico e perispiritual do indivíduo, com evidente prejuízo à organização psicossomática. Certos órgãos e estruturas astrais canalizam para o plano Terra, o ambiente do corpo físico, aquilo que não é compatível com a realidade e a natureza do perispírito, drenando elementos até mesmo do corpo mental. Trata-se de uma lei natural, cujas consequências, como se vê, nada têm a ver com a programação cármica do indivíduo. As enfermidades geradas por esse mecanismo, portanto, decorrem é do excesso de magnetismo mórbido, de fluido pernicioso, e isso independe do fato de ser a pessoa, na atual existência, alguém de bom ou mau caráter. A mesma lei funciona de igual modo para todos. A misericórdia divina costuma diluir o descenso vibratório dessas energias em diversas etapas, conforme a situação e a ficha de trabalho de cada espírito, muito embora isso signifique apenas adiamento, mas não prescrição das responsabilidades pessoais perante a lei da vida e do cosmo.

No trabalho de cura ou tratamento espiritual, os que ocupam temporariamente a função de representantes da medicina espiritual podem amenizar o sofrimento, as dores, os desgastes e as agressões provenientes do descenso do fluido mórbido. De acordo com a permissão concedida pela Providência e pela consciência da pessoa que está sendo assistida, é possível transferir para outro momento o enfrentamento da maior ou menor parcela de dificuldades enfrentadas por meus irmãos. Entretanto, de nenhuma maneira nos é dado burlar a lei, eximindo a pessoa da responsabilidade por suas atitudes e deixando-a livre ou liberando-a da obrigação de enfrentar as consequências de seu passado.

Mesmo quando temos a permissão de diluir a parcela de sofrimento — e, em casos muitíssimo especiais, promover a cura do ser —, o próprio enfermo não raras vezes traz a mente marcada tão intensamente pela culpa e pelo remorso, que não se dá a permissão para a cura, não obstante a dor o tenha levado a procurar socorro. Dessa forma, é preciso que se perdoe, que se permita, como espírito, ser auxiliado, senão qualquer investida de nossa parte será em vão. Desnecessário é, portanto, frisar a importância do processo terapêutico do autoperdão, que deve correr em paralelo à busca pela harmonia na saúde. Incontáveis vezes dispomos do recurso da ciência espiritual, da permissão da Divina Providência e, ainda, da interferência benéfica de benfeitores que intercedem pela pessoa, mas ele não se perdoa, não nos dá a permissão íntima, genuína, que lhe daria condições de receber o auxílio na proporção em que o podemos conceder. A mente gira num complexo remoinho de culpas e cobranças e não acredita, efetivamente, que pode ser beneficiada ou curada, segundo sua necessidade. Tendo isso em vista, compreende-se quando os benfeitores asseveram ao doente: Que tudo ocorra conforme sua fé. Ou seja, de acordo com a permissão íntima que o indivíduo dá a si mesmo para ser feliz ou ser curado.

Muita gente — poder-se-ia dizer, mesmo, a maioria dos encarnados — é transferida, após o descarte biológico, aos pântanos das regiões inferiores, também conhecidos como charcos. Estes se constituem de um tipo específico de matéria astral e etérica, propícia à absorção do excesso de fluidos mórbidos aderidos ao perispírito ou psicossoma. Esse tipo de lama astral, longe de ser produto da mente em desorganização, é inerente à própria natureza extrafísica e faz parte da geografia do mundo invisível, dadas as necessidades momentâneas dos habitantes da Terra. Nestes ambientes sombrios, aquilo que a tantos se afigura como dor e sofrimento, na fase subsequente ao descarte biológico, na verdade consiste numa espécie de remédio, de recurso terapêutico usado para que seja absorvido o excesso de fluido mórbido adensado e semimaterializado no corpo astral. O sofrimento decorre muito mais do sentimento de culpa, da revolta por estar ali naquele ambiente insalubre, porém temporariamente necessário, do que por fatores inerentes ao ambiente em si ou ao método usado pela natureza astral no intuito de depurar fluidos e toxinas dos corpos astrais. A mente imerge na dor e no sofrimento íntimo porque se encontra viciada em comportamentos que adquiriu no mundo físico, culpada por saber de seus débitos perante a lei — e todos o sabem — e revoltada por perceber que merece estar onde não queria, assim como por notar que todas as tentativas de barganhar com as leis do universo são completamente falhas, também na dimensão além-física.

O desconhecimento dessa realidade faz com que muitos pesquisadores psíquicos e espiritualistas julguem que o ambiente umbralino é que incute o sofrimento no indivíduo, quando, de fato, o que o faz sofrer são as crenças e a postura mental rígida, bem como a atitude perante si mesmo e as leis da vida. A lama astral, os charcos do Além devem ser interpretados como cataplasmas etéricos, ou apenas como matéria absorvente com recursos terapêuticos. Já sentimentos, emoções, crenças e atitudes mentais, esses, sim, são os verdadeiros elementos que produzem o sofrimento.

Mergulhado nos pântanos do Além, grande número de espíritos poderia apressar seu estágio nessas regiões se aproveitasse o tempo ali para se desapegar de culpas e medos decorrentes da formatação mental a que se entregou ao longo das existências. Como a maioria dos seres do mundo astral ainda não despertou para a realidade da vida espiritual ou extrafísica, o que se vê, no entanto, é acreditarem piamente que estão no inferno, no purgatório ou em outro contexto semelhante, de acordo com o que suas crenças lhes impuseram como verdade. Uma vez convencidos disso, vem a autopunição, o sofrimento inenarrável a que se entregam, o qual pode durar até mesmo séculos, conforme o grau de culpa e martírio que infligem a si mesmos, desnecessariamente.

Para casos graves que ocorrem entre esses citados, um novo corpo físico funcionará como fator libertador das amarras mentais e como fio-terra, através do qual as energias serão drenadas do espírito diretamente para a natureza, a fim de serem diluídas pelas forças telúricas do mundo.

Considerando todo o panorama que envolve as realidades íntimas, extrafísica e astral, nota-se, como já alertamos, que as enfermidades muitas vezes não existem para ser curadas. Outras, ainda, não devem ser curadas em hipótese nenhuma. É que, em muito mais casos do que podem meus irmãos imaginar, as enfermidades são cercas abençoadas que a Providência interpõe entre a pessoa e os precipícios comportamentais e morais, os quais poderiam significar a queda imediata ou o recrudescimento dos fatores pretéritos que, no presente, levaram o indivíduo ao adoecimento. Também existem muitos casos, muitos mesmo, em que a enfermidade, em si mesma, já é a cura. Ou seja, ao se considerarem o grau de toxicidade mental e as desarmonias existentes no corpo mental desses irmãos, compreende-se que demandam muito tempo de reflexão e reeducação íntima para serem reorganizados. Em suma, nem sempre podemos curar alguém, e nem sempre a pessoa pode ser curada, sob pena de botar a perder sua encarnação e o processo de amadurecimento ou reeducação patrocinado pela misericórdia divina.

Há uma realidade que jamais deve ser desprezada. Muitas pessoas, aparentemente boas, que procuram os recursos da terapêutica do espírito ou os avanços da ciência terrena, alegando ou mesmo experimentando sofrimento indizível, podem ser espíritos renitentes, repetentes, que no passado dilapidaram explícita e deliberadamente o patrimônio concedido pela vida, e hoje se encontram internados em regime de emergência espiritual. Padecem os entrechoques da dor e das enfermidades a fim de aprenderem a se reorganizar espiritualmente. Ademais, momentos de aparente sofrimento frequentemente só são considerados assim porque cerceiam a liberdade de certas pessoas de continuar espalhando seus desmandos e desequilíbrios. Muitas delas — observando-as como espíritos, e não apenas naquilo que se vê estampado no corpo —, são espíritos corruptos, que, internados em corpo deficiente em saúde, forjam o aspecto de santinhos, de sofredores e necessitados, como se a Providência Divina, como os humanos encarnados, se condoesse das aparências.

Ainda que tentemos amenizar certos efeitos causados pela corrupção do espírito em seu passado lamentável, definitivamente a lei divina não se engana quanto à verdadeira natureza da pessoa internada no corpo sob prescrição da medicina sideral, que dá a cada qual a oportunidade de reajuste, de acordo com o que fez e faz em seu campo íntimo. Nada nem ninguém consegue burlar a lei divina, por mais que o indivíduo possa parecer santo, bom ou bem-resolvido perante seus familiares e amigos. Posições sociais, cargos e encargos, situações ou um teatro quase bem feito, no intuito de se beneficiar perante as leis do universo, em hipótese nenhuma constituem elementos que pesem na execução da suprema lei, que dará a cada um conforme tenha semeado, no corpo ou fora dele.

Cirurgias espirituais

MUITOS DE MEUS IRMÃOS, ao procurar os recursos da medicina espiritual, julgam e interpretam que qualquer intervenção dos Imortais na saúde e na enfermidade pode ser classificada como cirurgia espiritual, com consequências visíveis, benéficas e, de preferência, imediatas sobre o corpo físico. Há que se corrigir essa visão, levando em conta o histórico pessoal do indivíduo.

Pessoas há que simplesmente surgem diante de nós, de repente, como se fossem uma aparição ou materialização, apresentando suas dores e enfermidades, associadas à exigência de serem curadas e ao merecimento que julgam ter, ou então intercedendo por algum parente que precisa urgentemente ser atendido pelos médicos do Invisível. No momento da dor, todos se dizem bons e divulgam virtudes, merecimento e muitos adjetivos que atribuem a si mesmos, como se os espíritos fossem ingênuos a ponto de se dedicarem à pessoa como se ela fosse especial. Outros, impacientes, não esperam o tratamento surtir efeito, ou mesmo não querem entender a relação entre o que sentem ou sofrem e o comportamento e as atitudes íntimas que adotam.

Não há quem seja mais importante do que outro quando se aborda a questão da saúde e da qualidade de vida. Assim, é bom entender que, se porventura alguém obtém a cura definitiva e a melhora da qualidade de vida, é porque existe um histórico pessoal de serviços, nem sempre da atual existência, ou uma interferência superior, sempre visando à possibilidade de a pessoa, abençoada com a recuperação da saúde, desenvolver um trabalho em benefício do próximo. Nada no universo é dado de maneira aleatória ou sem objetivos predefinidos. A graça divina sempre está atrelada a um retorno às leis da vida e ao cosmo, a algum benefício que envolva os seres humanos. Nos casos em que, passado determinado tempo, a pessoa que recebe o auxílio não faz sua parte no grande plano da vida, ou perde seu tempo de maneira inútil, sem produzir ou fazer diferença no meio onde foi lhe dada a oportunidade de servir, a dor retorna e a enfermidade volta a fazer seu exercício de reeducação do pensamento, das emoções e das atitudes. Portanto, não pensem meu irmãos que a bênção da saúde é oferecida a todos na mesma medida ou é ofertada a troco de inutilidade, apenas para que o ser beneficiado passe o resto da vida sem fazer nada, nenhuma diferença no meio social onde transita.

É bom lembrar que, do ponto de vista dos espíritos superiores, o corpo é apenas uma vestimenta, que pode ser trocada a qualquer momento, enquanto a verdadeira vida é a do espírito, e o verdadeiro mundo é o *original, primitivo,*[1] extrafísico. O corpo pode enfermar e até morrer, mas o ser sobrevive — e o mais importante entre os dois, evidentemente, é o ser espiritual. Sendo assim, quando é dado o prosseguimento da vida, seja com maior ou menor qualidade, sempre se

[1] Cf. KARDEC, Allan. *O livro dos espíritos*. 1ª ed. esp. Rio de Janeiro: FEB, 2005. p. 112-113, itens 84-86.

visa à reflexão, à retomada de posição e à responsabilidade diante da vida, se não a alguma tarefa a ser desempenhada em benefício do próximo ou da comunidade. Tal tarefa invariavelmente está associada à reeducação e à reorganização mental e emocional do indivíduo que está sendo beneficiado e que pode vir a ser curado.

Uma intervenção espiritual por parte dos Imortais jamais visa abonar o desrespeito às leis da vida ou à própria saúde; jamais visa liberar a pessoa para viver à revelia das leis divinas e das atitudes sadias, que interferem na qualidade de sua existência. Nunca a intervenção dos espíritos significa curar alguém para que viva de maneira a desrespeitar a si próprio e se transforme numa pessoa inútil no meio ou na comunidade onde vive, ou, ainda, que não produza algo em benefício da humanidade.

Todos aqueles que forem beneficiados com algum tipo de intervenção espiritual podem ter a certeza absoluta de que a saúde é bênção divina e recuperá-la é oportunidade de reviver e viver com maior qualidade. Deus espera de cada um que dê sua contribuição ao universo ou que reflita sobre seu comportamento e sua relação com a vida.

Quando a enfermidade se prolonga e a saúde torna-se mais e mais preciosa à vista daquele que enferma, é porque há algo mais a ser realizado como espírito imortal; há reflexões a serem feitas e modificações profundas, e não somente superficiais, a serem efetuadas. Por vezes, há o acúmulo de situações que emergem do passado e associam-se a outras, cultivadas na presente existência, as quais precisam urgentemente ser enfrentadas. Nesse caso, a pessoa é alvo de um processo de reeducação do espírito, pois a enfermidade, frequentemente desafiando quaisquer recursos da terapêutica humana ou espiritual, pode ser uma professora exigente. Com seus métodos pouco brandos, mas eficazes, a dor faz com que o enfermo se reorganize mental e emocionalmente ante a urgência de enfrentar-se, de recompor-se perante as leis da vida.

Mas nem toda intervenção do Alto pode ser considerada uma cirurgia espiritual, no sentido de libertar a pessoa do carma da enfermidade ou do expurgo para o corpo físico.

A cura somente é possível quando se libera

totalmente a carga tóxica acumulada nas células sensíveis do perispírito e na constituição energética do duplo etérico. Para que isso ocorra, é imperativa uma reforma intensa e profunda na vida da pessoa, desde o comportamento até os pensamentos, culminando no novo direcionamento dado à vida. Algo dessa amplitude nem sempre ocorre numa única existência; em compensação, é dinamizado no período entre vidas. Desse modo, o máximo que os benfeitores podem fazer, em casos como esse, é estancar a dor imediata, quando isso for possível e tiverem os elementos à disposição.

Ao contrário do que muitos imaginam, porém, o estancamento da dor e a suavização do sofrimento não equivalem à cura; pode ser que o problema esteja apenas oculto temporariamente, aguardando a pessoa se refazer, modificar comportamentos e proceder à reorganização mental e emocional. Por se julgarem definitivamente curados, muitos lançam-se ao desrespeito com a própria saúde, retomando comportamentos destrutivos e problemáticos. Como resultado, a enfermidade ressurgirá, muito mais agressiva e destrutiva, pois que estava somente adormecida ou, talvez, temporariamente contida, aguardando a mudança de postura do indivíduo e suas reflexões em prol da reeducação espiritual.

Numa intervenção espiritual, leva-se em conta o histórico de cada indivíduo a ser atendido pelos representantes do mundo invisível. São de suma importância a disposição íntima de quem procura ajuda e, principalmente, a programação espiritual para a atual existência.

Muitas vidas são programadas na erraticidade objetivando enfrentar certos percalços e desafios — não raro escolhidos pela própria pessoa. Outras são planejadas por orientadores evolutivos tendo em vista a algum compromisso assumido no passado; nesse caso, não há, definitivamente, como interferir na programação cármica sem causar a derrocada espiritual do indivíduo. Por isso, grande contingente regressa dos atendimentos espirituais com suas dores e com elas continuará, independentemente do tipo de intervenção espiritual a ser feita. Apenas parte das pessoas tem suas dores amenizadas, e parcela ainda menor as vê adiadas. É fato, portanto, que nem todos serão curados.

Levando esses dados em conta, ao formar-se algum grupo de auxílio às questões da saúde humana, é de vital importância que, com o atendimento, sejam ministrados conhecimentos e informações sobre os aspectos espirituais que envolvem a recuperação da saúde, de modo que as pessoas possam se instruir e quiçá compreender o que passam e por que passam por tais provações. É fundamental que as pessoas enfermas sejam esclarecidas, seja através de livros e mensagens, seja em palestras rápidas. O roteiro obedecerá sempre ao objetivo de que os indivíduos assistidos despertem para a necessidade de reeducação de pensamentos e emoções, além de descobrirem a finalidade de enfrentar temporariamente os desafios e problemas que os afligem, compreendendo, assim, suas responsabilidades perante a vida. Com frequência, tais conhecimentos e as reflexões suscitadas são muito mais importantes do que a cura da dor.

Muitas pessoas mergulham na dor e nublam sua mente e sua inteligência ante o desafio que ela representa; entregam-se ao sofrimento sem procurar entender o aprendizado que ele sugere, sem lograr compreender as conexões desse estado com suas atitudes e seus conceitos de vida. Submersos na problemática que os aflige, cultivam uma ideia errônea a respeito do trabalho dos Imortais e dos representantes da ciência espiritual. Pensam que os habitantes do Invisível são detentores de poderes extraordinários e alimentam um tipo de crença que não significa fé, mas uma forma equivocada de pensar a vida, a imortalidade e as conexões ocultas que estas têm com o ser humano.

Muitos precisam ser educados para a morte, para a transposição das dimensões e a descoberta da verdadeira vida, pois seu cérebro, mesmo após lutas e dores, ainda permanece hipnotizado pela ideia de que o corpo físico e a vida material sintetizam tudo — ou pelo menos o mais importante. Inúmeras dores advêm do fato de que a pessoa não tem consciência da vida espiritual, do mundo real e primitivo, original.

Não é incomum que o cérebro, imbuído da ideia de materialidade da vida e do mundo, sinta como sofrimento e se ressinta daquilo que é apenas passageiro; que interprete como angústia e agonia o que é apenas uma mensagem da vida ou do próprio corpo, apelando à pessoa a fim de que acorde da ilusão da matéria e dos sentidos e preste mais atenção no imponderável, no invisível, porém real, original e permanente — ou seja, o mundo e a vida espiritual.

Certamente o infortúnio, os desafios da vida ou os obstáculos enfrentados durante o período de adoecimento representam, em grande parte dos casos, um chamado, um choque programado ou um bisturi a aprofundar na alma a incisão que visa despertar o cérebro, e a mente a ele associada, da hipnose dos sentidos. Em âmbito geral, tal quadro ilustra ou reproduz, num plano menor, o próprio objetivo do mergulho na carne e na vida social do mundo físico, com suas ilusões, temporariamente necessárias a fim de que o ser desempenhe seu papel momentâneo no mundo das formas.

Além desses aspectos, diversos problemas de saúde, em si mesmos, já denotam e são a própria intervenção superior, sem requerer espíritos atuando diretamente, na medida em que servem como instrumento a fim de acordar a alma para suas responsabilidades e as implicações de suas atitudes perante a vida.

Dessa forma, como se pode notar, a atuação dos espíritos numa intervenção junto a meus irmãos em sofrimento nem sempre precisa ser tão intensa a ponto de produzir corte, exigir cirurgia ou determinar interferência de maneira mais intensa e drástica. É corriqueiro que o papel do espírito nos momentos de angústia e enfermidade seja apenas secundário, superficial, não invasivo, conquanto seja um elemento a estabelecer ponte entre a dor e o despertamento espiritual, mental, visando à inserção do indivíduo na realidade para a qual foi chamado.

Mas é claro que a maioria das pessoas não pensa dessa maneira. Querem tão somente se livrar das dores e das limitações produzidas pela enfermidade, sem nenhum compromisso de se modificar ou despertar para seu papel na vida ou perante a comunidade onde vive; menos ainda, perceber sua responsabilidade em relação à humanidade. Querem, exigem e pensam que os benfeitores, médiuns e aqueles que servem em nome do bem existem para aliviá-los e os atendê-los em suas queixas; consideram suas dores maiores que as dos outros, sem se importar com as responsabilidades decorrentes de sua almejada melhora.

Número considerável de pessoas, após visita a um ambiente de tratamento espiritual, sente-se aliviado não como resultado de uma cirurgia ou intervenção extrafísica, mas devido à sua fé, que atuou como instrumento para absorver, sugar ou movimentar fluidos de médiuns e trabalhadores. A fé é capaz de mobilizar recursos e fazer com que a mente reorganize temporariamente as células físicas. Nesse caso, foi tamanha que, de alguma maneira, arregimentou e até mesmo vampirizou as energias alheias, promovendo a melhora e, no limite, a cura. Não obstante, não se trata de uma cura absoluta, mas associada a um tipo de comportamento da parte do beneficiado. A promoção da saúde não dependeu da ação deliberada do espírito que atende em nome do Alto, mas de características da mente do indivíduo, que alimentou a crença de que, sob determinadas circunstâncias, encontraria a cura.

Foi esse mecanismo que levou o divino médico de nossas almas, em algumas ocasiões, a afirmar às pessoas que o procuravam: "A tua fé te salvou"[2] ou "Percebi que de mim saiu poder".[3] Então, temos de lembrar que a fé tem um papel fundamental na recuperação das pessoas, e a falta dela deve ser levada em conta ao se suspeitar da eficácia de uma intervenção espiritual. Quero, com isso, dizer que nem tudo é fruto da ação deliberada de algum espírito, de uma cirurgia espiritual ou intervenção concreta. A mente exerce grande poder sobre o próprio corpo, e isso precisa ser considerado, também.

Outro aspecto importante no que tange aos procedimentos espirituais com vistas à recuperação da saúde é que, muitas vezes, a pessoa que procura a intervenção dos habitantes do Invisível já está em tratamento, sob os cuidados de algum médico encarnado, de escola convencional ou não, e mesmo sob alguma terapia não tradicional. O contato com a realidade espiritual ou com

[2] Mc 5:34; 9:22; 10:52; Lc 7:50; 8:48; 17:19; 18:42 etc.

[3] Lc 8:46.

a presença de algum espírito apenas serve como elemento dinamizador da sua fé e dos recursos que ela já vem recebendo. Sendo assim, o resultado benéfico deverá ser interpretado não como produto exclusivamente da ação de espíritos, mas como um conjunto de procedimentos que, associados, provocaram desfecho apreciável.

Qualquer que seja a situação, não é bom esquecer que a manutenção dos benefícios, sempre, em qualquer situação, está relacionada à mudança de qualidade da vida mental e emocional do indivíduo, à dedicação a um propósito ou atividade em benefício da humanidade, nem que seja atinente ao próprio ambiente familiar, tão somente. A mudança de hábitos, de visão da vida, de qualidade e responsabilidade perante a vida constitui fator tão importante que não deve ser esquecido em nenhuma hipótese, quanto mais se o tratamento se manifesta na forma de uma cura visível, embora temporária, no corpo físico. Cura sempre está associada a responsabilidade. Esse fato justifica, de certo modo, o raciocínio religioso popular segundo o qual, se a pessoa se curou ou se julga curada de algum incômodo ou enfermidade, é como se tivesse renascido, e isso implica que Deus tem um plano para sua vida.

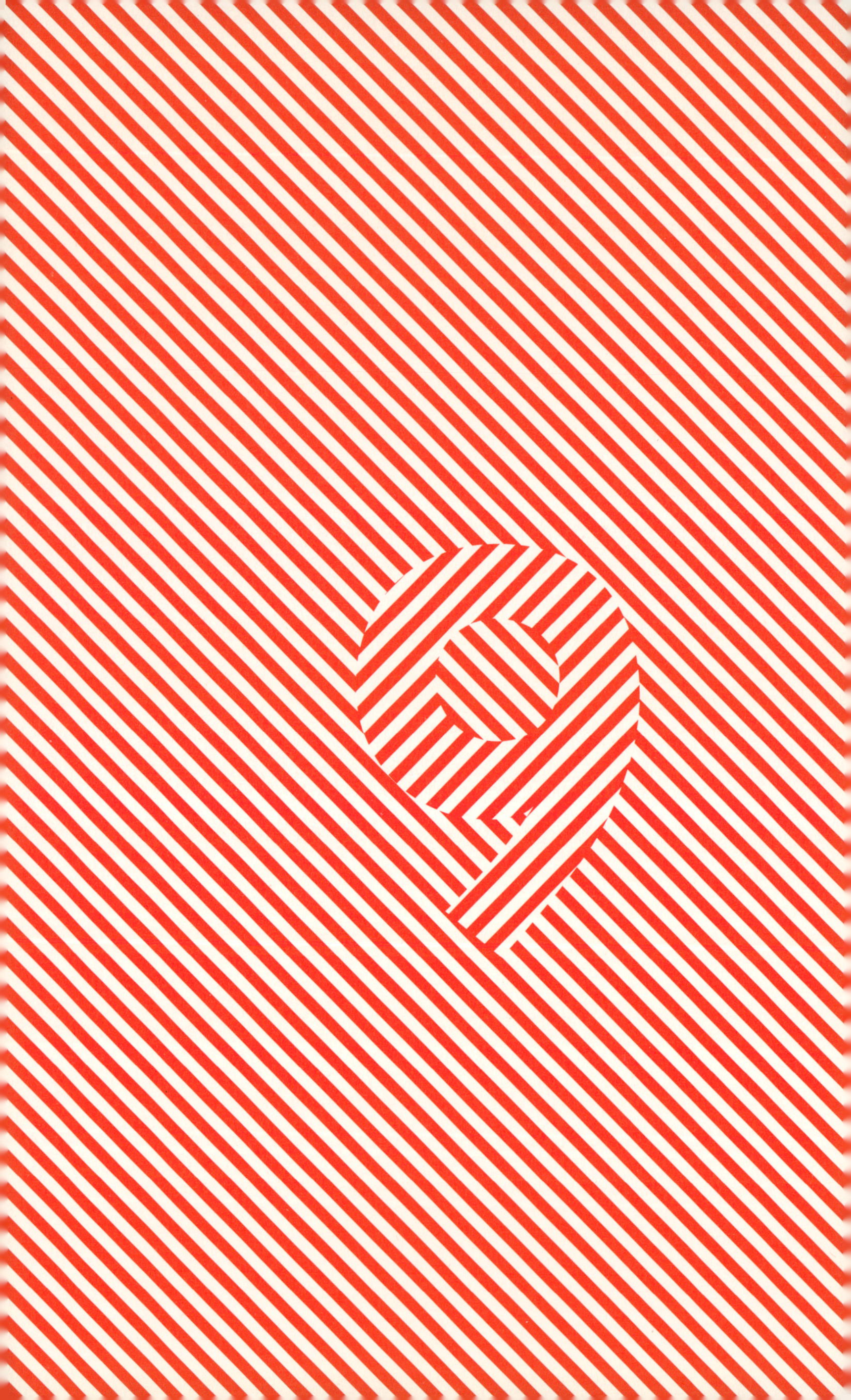

Enfermeiros de Jesus: reaprendendo a servir

NÓS, OS ESPÍRITOS que algum dia estagiamos, na Terra, ligados à área da saúde, muitas vezes pensamos, quando ainda no corpo, que nossa ciência é o máximo de conquista a que chegou a humanidade ao longo dos milênios. Muitos de nós nos orgulhamos tanto pelo conhecimento quanto pelas possibilidades inerentes à prática e à experiência clínicas, haja vista a especialização em determinada área ou os resultados alcançados no exercício dessa ciência, que deveria estar a serviço da humanidade, embora nem sempre isso ocorra. Juntem-se a isso as facilidades de ordem social que podemos gozar em diversos países, dadas as condições proporcionadas pelo trabalho na área médica e de outras ciências. Ao fim e ao cabo, não é incomum que os ânimos se alterem, e o orgulho e a prepotência se sobreponham ao objetivo principal, que é servir a humanidade.

Ao despertar do lado de cá da vida, quando os recursos da ciência humana e da medicina não são capazes de preservar o ser dentro do corpo físico, há o choque vibratório com a realidade do Invisível. Diante de um conhecimento que ultrapassa a imaginação do mais competente cientista, ante um universo de possibilidades infinitas e uma tecnologia desafiadora para as mais brilhantes mentes do mundo, o antigo cientista, de súbito, vê-se impotente, acanhado como uma criança ao vislumbrar o mundo que desconhece. Aporta nesta dimensão como um completo analfabeto nas questões espirituais ou, em outras palavras, leigo perante a enormidade de conhecimento da nova ciência, vigente num universo totalmente desconhecido. No que concerne à realidade extrafísica, as especialidades amealhadas no mundo físico, as posições sociais galgadas por interesse financeiro e mesmo os diplomas expostos nas paredes de consultórios e escritórios — tudo perde completamente a validade. O antigo cientista, doutor ou médico torna-se um simples aluno de nível primário no instituto de ciências da vida.

Mesmo aqueles que, no mundo, tiveram contato com a realidade do espírito e familiarizaram-se com o saber espiritual ou espiritualista decepcionam-se ao aqui chegar. Não encontram o reconhecimento de que se julgam merecedores e têm de se adequar à situação de aprendizes, aceitando o fato de que os maiores avanços no conhecimento espiritual terreno contemplam menos de 10% da realidade da vida noutras dimensões. Pretensões são reduzidas a pó num piscar de olhos; o espectro da realidade se amplia de tal maneira que muitíssimos espíritos chegam aqui como mendigos espirituais, embora as posições de relevo alcançadas entre homens, religiosos ou perante a comunidade científica mundial.

Enfim, somos todos aprendizes em diversos graus de ignorância espiritual, tendo em vista a vastidão do universo povoado de energias, seres, leis, fenômenos e vibrações desconhecidos e, em inúmeros casos, inimaginados, senão solenemente vetados no campo das pesquisas e possibilidades, segundo o entendimento de meus irmãos encarnados.

O recomeço é geralmente mais doloroso para quem julgou ocupar posições merecedoras de crédito. Iniciar na caminhada de redescoberta do ser ao aportar do lado de cá é desafiador para muitos, quando não de fato problemático, pois os valores e conquistas que amealharam ao longo da vida corpórea, sejam de caráter social ou espiritual, são produto tão somente da interpretação pessoal, e não da realidade do mundo do espírito, o mundo original e primitivo. Seja quem for, ao transpor definitivamente os portais da eternidade, todo homem sente-se um menino diante do universo.

Quem se julgou importante à vista de religiões e religiosos, por exemplo, esquecendo-se de sua origem por vezes simples e humilde, frustra-se, principalmente ao descobrir que seus mentores e orientadores evolutivos não passam também de meros aprendizes da Vida Maior, alunos na escola da vida. Algo equivalente se verifica com os líderes dos diversos segmentos religiosos, dependendo das crenças e dogmas de cada qual. Do lado de cá, deparam com seres que aprenderam a venerar revestidos de simplicidade, sem pretensões maiores do que a de se conhecerem. Não encontram espaço para as disputas sociais e religiosas, tampouco científicas, a que porventura estivessem acostumados.

Descobrem ou se conscientizam de que a motivação de muitas realizações no mundo, revestida de um véu de santidade e dedicação altruísta, não passava de mero interesse pessoal, sem a mais remota conexão com o amor e o devotamento a algum ideal, como difundiam e em que acreditavam piamente. Aliás, pouquíssimos são aqueles que, na Terra, vivem em nome de um ideal. A maior parte dos seres esconde, por trás de realizações aplaudidas pelos humanos encarnados, o interesse em ser reconhecidos, celebrados e em gozar de alguma posição de destaque no âmbito em que atuam, seja científico, social ou religioso — fato que os tornará desajustados e profundamente magoados na nova vida. Jamais encontrarão, por aqui, qualquer coisa que se assemelhe a reconhecimento ou aplauso devido às supostas conquistas e à alegada dedicação que tivessem no mundo... Não encontram ressonância suas pretensões. Aqui, pelo menos na esfera onde me encontro, todos são obrigados a recomeçar como crianças espirituais, estudando e aprendendo a servir sob novas bases e com valores diferentes — mais expressivos e genuínos — daqueles ostentados no palco do mundo, onde as máscaras de santidade sobrepujam a realidade íntima individual.

Resta uma alternativa a cada cientista, médico, médium, orador ou qualquer ser humano que realmente queira ser útil à vida e reerguer-se frente à própria consciência. É recomeçar, reaprender a servir e estudar sempre, a fim de descobrir-se apenas humano, e não santo ou anjo, conforme as variadas concepções filosóficas do mundo. Perceber que, na verdadeira vida, conseguiremos, no máximo, chegar, por meio de inumeráveis anos de dedicação, ao posto de enfermeiros do verdadeiro médico das almas, Jesus. Ele não julga as aparências nem leva em consideração a posição social e econômica, tampouco as pretensões espirituais e religiosas, mas a realidade absoluta, genuína de cada servidor.

Somos e continuaremos sendo aprendizes por muito tempo, ainda. Mesmo aqueles espíritos que são venerados no mundo pelas pessoas religiosas, espiritualistas ou místicas, mesmo eles permanecem como aprendizes. Por mais que o queiramos ou acreditemos, a verdade é que não ocupam nenhum cargo, à semelhança do que se vê entre encarnados, não gozam de notoriedade ou reconhecimento, a não ser da própria consciência diante dos deveres cumpridos. Ademais, não são tão elevados assim, como tantos apregoam ou como muitos médiuns querem dar a entender. São — e somos todos — simples humanos, encarregados de tarefas inadiáveis diante da dívida de gratidão com a vida e dos desafios da humanidade. Ocupados com o dever de nos descobrir, de nos conhecer melhor e de desbravar novas fronteiras da ciência do Invisível neste universo paralelo ao mundo dos mortais, não temos tempo para dedicar a disputas, nem tentar fazer prosélitos, quanto mais para buscar reconhecimento e aplauso — insensatez dos infelizes. Não passamos de cooperadores uns dos outros, em pé de igualdade; espíritos em aprendizado constante, num mudo onde o que mais importa é servir sem pretensões e onde o maior reconhecimento é o dever cumprido, ante a consciência tranquila.

A morte se incumbirá de colocar cada um no devido lugar, na verdadeira posição em relação ao universo. Frente à morte, com seus mistérios a serem desvendados e desbravados, todos nos igualamos, todos nos tornamos necessariamente crianças. A morte é o grande instrumento da vida para destituir cada qual de suas pretensões e revelar a verdade nua e crua a respeito da intimidade do ser, desmascarando os atores do grande drama da vida e mostrando sua verdadeira face ao universo. Após a morte, os títulos acadêmicos e todos os outros, a fama, as conquistas materiais — tudo é diluído e destruído. Cada homem, mesmo que tenha alcançado as posições de maior destaque, seja de rei, governante, artista célebre, médico, cientista ou qualquer outra condição a que tenha chegado, indubitavelmente perde o valor que lhe é atribuído no mundo. O mais brilhante cientista torna-se simples; sem a simplicidade, é impossível desbravar a ciência do espírito ou o universo de vibrações, seres e tudo o mais que oferece este mundo novo, descortinado pela morte diante da falácia do orgulho humano.

A fim de adentrar os laboratórios de aprendizado da ciência espiritual, não basta haver sido espírita, espiritualista ou fiel religioso de qualquer vertente. É preciso ir muito além. É necessário tornar-se criança novamente, reaprender a servir nos moldes que o Nazareno exemplificou, simplificando a alma, ou o indivíduo se encontrará em enorme frustração, porque os títulos e posições de que era detentor não servem de passaporte para as escolas do além, tampouco credenciam ninguém ao serviço de aprendizado. Reaprender a servir é aprender a simplificar. E, sem se tornar uma criança, espiritualmente falando, será impossível penetrar os domínios da verdadeira vida, que descerra, ante nossos olhos, a ciência infinita do universo.

Essa realidade nos faz lembrar as palavras do Nazareno, em sua oração ao coração do cosmo: "Graças te dou, ó Pai, Senhor do céu e da terra, que escondeste estas coisas aos sábios e inteligentes, e as revelaste às criancinhas".[1]

Portanto, se meus irmãos querem de alguma maneira ingressar no laboratório do mundo original, verdadeiro, primitivo e invisível; fazer parte desse mundo de seres que estudam além das fronteiras das pretensões humanas, aprendamos a simplificar nossas almas. Sobretudo, aprendamos a pensar, a sentir e a agir como aprendizes que somos todos, cientes de que somente servindo é que alcançaremos os objetivos e as metas traçados por Deus para os cidadãos do infinito.

[1] Lc 10:21.

A cura começa aqui: saber acolher, ouvir e abraçar

SOB O PRETEXTO de cuidar do bom andamento das atividades que somos chamados a executar e administrar, muitos trabalhadores costumam se equivocar, causando entraves à aproximação dos necessitados de socorro. Em nome do zelo com a tarefa, costumam exalar dureza, achando que para ser diligente é preciso ser ríspido e confundindo vigilância com grosseria e aridez emocional.

É muito comum que, ao receber as pessoas mais necessitadas de tratamento, profissionais de saúde ou trabalhadores de tarefas assistenciais portem-se de maneira rude e recebam-nas como se eles mesmos estivessem a salvo da hipótese de mudar de lado e, no dia menos esperado, reclamar auxílio.

Para quem chega desesperado, depositando a última esperança em determinado tratamento, seja profissional ou voluntário, é muito importante que o atendimento seja o mais humano e fraterno possível. Até porque, neste momento da acolhida, o resultado eficaz, tão esperado, é consequência ainda incerta, reservada ao futuro. De imediato, não raro, o indivíduo nota que suas expectativas são infundadas e que ali, em vez de encontrar seres humanos a recebê-lo, encontra seres que mais parecem robôs ou máquinas, sem nenhum sentimento ou cuidado dirigido a quem vivencia um momento de carência e demanda atenção. Para quantos trabalham com o público necessitado, com tarefas que querem prestar consolo ou assistência espiritual, vale lembrar o ensinamento de Jesus, o grande médico das almas, como regra de civilidade: fazer aos outros o que gostariam que fizessem consigo.[1]

Imaginemo-nos, por um instante, no lugar da pessoa que procura auxílio. Utilizemos nosso poder de visualização para trocar de lugar por

[1] Cf. Mt 7:12.

uns momentos e pensar que aquele que nos procura é, agora, o atendente que nos recebe. E que os males do outro, por ora, são nossos males e queixas. Como gostariam meus irmãos de ser tratados? Como gostariam de ser recebidos num ambiente no qual se pretende auxiliar, acolher, curar ou servir?

Esquecem-se, muitos trabalhadores e obreiros do bem, profissionais e servidores públicos que atuam na área da saúde humana, de que adotar certas regras de polidez, delicadeza e cortesia é um gesto que pode determinar o bom resultado do tratamento que ora se pretende ministrar.

Quando se achega ao trabalhador que serve em nome do bem comum, a pessoa já vem cheia de tristezas, desilusões, não raramente em desespero ou depressão. As emoções estão desalinhadas, devido ao sofrimento ou, quem sabe, ao desrespeito de que foi vítima, da parte de algum prestador de serviço que não levou em conta a humanidade e a dor do outro. A autoestima está abalada, pois, ante a enfermidade e os desafios dela decorrentes, poucos são os que conseguem se manter numa posição serena e elegante. A dor modifica qualquer disposição íntima que pretenda se assemelhar ao equilíbrio. Como sofrer com equilíbrio e elegância? Alguém detém tal fórmula, por acaso? Isto é, uma fórmula que sirva para si próprio, e não somente para os outros? Então, como esperar daquele que sofre um estado de espírito harmonioso e sadio, se nem sequer o recebemos bem? Como esperar que se sinta tranquilo e seguro quanto ao recurso que lhe é oferecido, se, já no primeiro contato, ele depara com rudeza e aspereza, quando não completa falta de consideração com a sua dor?

As reflexões propostas não pretendem sugerir a adoção de uma atitude de comiseração ou superproteção perante o doente, como se estivesse condenado à infelicidade, tampouco recomendar que se mascare a necessidade de que ele se empenhe em enfrentar o processo educativo a que foi conduzido pelas leis da vida. Refiro-me à necessidade de acolher, de ouvir quando possível, de mostrar-lhe que é bem-vindo. Se porventura não se puder solucionar, curar ou eliminar o problema apresentado, que ao menos se garanta ao outro que ali, onde se pratica o bem em nome do amor, ele pode confiar que será acolhido e amparado, com o respeito e o calor humano de que precisa para, no mínimo, recuperar a autoestima e ter facilitado o percurso em busca de soluções viáveis, com a dignidade de um ser humano, filho de Deus. Afinal, quem sofre não está privado da dignidade e, se nos procura os recursos terapêuticos, sejam de ordem profissional ou assistencial, reclama cuidado e afeto, na medida em que as condições o permitam, mas o mínimo de atenção.

Acreditem, meus irmãos: muitas vezes, um abraço, um cumprimento mais atencioso e respeitoso significam a metade do problema resolvido. Muita gente carece ser acolhida, sentir-se amada, cuidada; perceber que alguém se interessa por ela e saber que, naquele recanto onde procura acolhimento, encontrará seres humanos que a tratarão com dignidade e apreço. Garantir-lhe que não será mais um número, mas será tratada como gente, faz toda a diferença. Muitos nem sequer procuram a cura, mas atenção, calor humano... quem sabe um abraço de compaixão, isento de julgamento? Essa é uma realidade que não se pode menosprezar jamais.

Precisávamos nós, os trabalhadores a serviço da humanidade, aprender a ouvir mais e interpretar melhor a linguagem da dor alheia. Estudar a linguagem do olhar, das expressões de sofrimento estampadas na face e, da maneira que nos for possível, ir ao encontro do outro e abraçá-lo, nem que seja metaforicamente, a fim de que se sinta amparado e socorrido. Não obstante todos os recursos da ciência que representamos, seja a ciência humana ou a ciência do espírito, se pouco ou nada pudermos acrescentar à qualidade de vida do doente, sem eliminar, tampouco aplacar-lhe a dor e o sofrimento, cabe-nos ao menos ser solidários, conversar, acolher, ouvir e saber falar o mínimo de palavras que transmitam conforto e cuidado àquele que sofre.

Quando recebemos uma pessoa, em qualquer situação, o modo como se dá o primeiro contato é determinante para estabelecer qualidade na relação. Isso não se aplica somente a questões relativas à saúde, mas a todo departamento da vida humana. Como revela um aforismo popular, a primeira impressão é a que fica.

No entanto, quando aplicamos esse princípio ao acolhimento daquele que sofre, do necessitado de conforto e assistência emergencial, espiritual ou profissional, o acolhimento ganha ainda maior relevância.

Uma vez mais, convidamos meus irmãos a se colocarem mental e emocionalmente no lugar do outro, que carece de ajuda em dado momento. Imaginemos que todos nós, em algum momento de nossas existências — e isso é certo e cristalino —, nos veremos na pele alheia, no lugar oposto ao atual. Pouco importa a posição social, o cargo e profissão ocupada por meus irmãos, sejam médiuns, médicos, enfermeiros ou trabalhadores de serviço público, entre outras categorias, omitidas apenas para resumir a situação: algum dia, todos precisaremos ser atendidos por alguém. Então, a mínima educação, bem como delicadeza, civilidade, gentileza, brandura, amabilidade e cortesia, além de outros predicados, ganharão genuína importância para qualquer um de nós. Se esses pequenos cuidados são importantes para nós e traduzem ou estabelecem um bom relacionamento, que dirá para aqueles que sofrem e nos procuram o auxílio como a última esperança.

Saber receber, ouvir, abraçar e acolher pode determinar o sucesso de um tratamento ou de uma relação entre duas pessoas. Eis por que lembramos novamente a norma de boa convivência recomendada pelo maior psicoterapeuta e médico que a humanidade já conheceu: "Assim como quereis que os homens vos façam, do mesmo modo lhes fazei vós também".[2]

[2] Cf. Lc 6:31.

Ética no contato com pacientes e consulentes

NÃO PODEMOS nos esquecer de que, mesmo trabalhando no serviço do bem comum, atendendo às dores, às dificuldades e aos sofrimentos alheios, os médiuns, geralmente, não são médicos. Os trabalhadores, terapeutas do espírito, também não são médicos; ainda que detenham algum conhecimento na área da saúde, que hajam estudado a fisiologia espiritual e energética do ser humano, fato é que não são médicos. Embora possam captar o pensamento de alguém que exercesse a medicina quando encarnado, assim mesmo, não são médicos. Por isso, enfatizamos o cuidado que devem ter meus irmãos a fim de evitar a acusação de prática de curandeirismo ou de exercício ilegal da medicina.

Para as atividades espirituais, não precisamos recorrer a instrumentos que somente aos médicos é dado manejar. Aos espíritos superiores comprometidos com a recuperação da saúde humana, são completamente desnecessários o bisturi e as demais ferramentas e técnicas cujo emprego é prerrogativa médica. É bom lembrar que, na história das manifestações brasileiras de espiritualidade, já houve vários trabalhos sérios que ficaram comprometidos devido ao uso de tais elementos. Os responsáveis foram expostos às leis dos homens em razão da imprudência — mais de médiuns e trabalhadores que de espíritos. Médiuns há que resolvem lançar mão desses instrumentos para dizer ou mostrar que estão realizando cirurgias espirituais. Ora, se estas são *espirituais*, por que usar ferramentas da medicina terrena? Por outro lado, se querem realizar cirurgias físicas, por que deveriam se eximir de estudar medicina e formar-se na profissão? Há que ter um cuidado sério para não comprometermos o trabalho espiritual nem sermos enquadrados como praticantes ilegais da medicina ou como usuários de métodos de curandeirismo. Trata-se, repetimos, de prática absolutamente desnecessária, decorrente muito mais de aspectos ligados à expressão anímica do médium do que ao espírito manifestante, isso quando há um espírito atuando, genuinamente.

Sem desmerecer meus irmãos espirituais que, no passado, utilizaram esses recursos, a medicina espiritual está por demais avançada para que seja necessário recorrer a tais recursos, mais apropriados a profissionais da esfera física. Trabalhamos com energias, luz coagulada, ondas, radiações e vibrações; para nós, da esfera além-física, o ectoplasma é a fonte de abastecimento vital e energético, da qual nos servimos para interferir na qualidade da saúde dos consulentes, dentre outros recursos ainda invisíveis para meus irmãos encarnados. Trata-se de uma medicina puramente vibracional, que, não obstante todo o conhecimento científico do mundo, os médicos na atualidade não conseguem entender nem sequer aceitar, em sua maioria. De forma análoga, caso estes pretendam empregar recursos e aparelhos que simulem tecnologias próprias do plano extrafísico, por certo serão também responsabilizados perante os conselhos de medicina, pois além de não conhecerem os pormenores de elementos próprios do plano invisível, estes não são reconhecidos pela ciência como métodos válidos, ao menos por ora.

É prudente, portanto, que cada qual se utilize dos recursos pertinentes à sua área de atuação.

Outro aspecto importante no trato com consulentes diz respeito à comunicação clara do que se pretende fazer. Como médiuns, terapeutas do espírito ou curadores, não é elegante prometer a cura de nenhuma enfermidade nem divulgar que se está curando enfermos. Mais uma vez, afirmamos: médium não é médico. Mais determinante que isso, porém, é que nem os médicos do espaço que trabalham com seriedade divulgam que curam, pois a cura depende de diversos fatores. Nenhum de nós é Deus; ademais, nem mesmo Jesus, o médico por excelência, curou todos os enfermos que o procuraram.

Assim sendo, prometer cura é comprometer o trabalho e os trabalhadores. No máximo, podemos oferecer auxílio espiritual como complemento ao tratamento médico.

Aqueles que nos procuram para sanar suas

dores não devem, de maneira alguma, interromper o tratamento médico ou o acompanhamento de saúde a fim de receber auxílio da medicina espiritual. É útil lembrar que trabalhamos numa sociedade humana que, em sua maior parte, não reconhece a eficácia, nem sequer admite a existência das intervenções espirituais. A lembrança desse fato é essencial para evitar comprometer as tarefas realizadas em nome do eterno bem.

A ética espiritual define, ainda, que não podemos, sob nenhuma hipótese, suspender qualquer medicação, insinuar que o consulente deva interromper o tratamento médico, tampouco deixar sequer transparecer a ideia de que a terapia espiritual seja um método substitutivo à metodologia terrena. Nosso campo de atuação não é o corpo, mas o espírito, o perispírito ou psicossoma, o duplo etérico, a fisiologia dos corpos energéticos e as formas-pensamento. Trabalhamos visando eliminar os focos de contaminação fluídica, miasmática e astral, bem como os cúmulos energéticos localizados nos corpos extrafísicos de meus irmãos, cientes de que tais intervenções trazem alívio e qualidade de vida, e agem de modo a aumentar a eficácia dos tratamentos realizados pelos médicos da Terra. São somente eles, nossos amigos da ciência terrena, que podem recomendar a interrupção de tratamentos prescritos.

Seria muita irresponsabilidade e falta de zelo com a seriedade do trabalho espiritual que médium, espírito ou pseudoespírito sugerissem ao consulente cessar o tratamento médico, usando a terapia espiritual como pretexto.

É bom ter em mente, também, um outro cuidado. Uma vez que a medicina e a ciência da Terra ainda não reconhecem a eficácia nem sequer a realidade da ciência espiritual, e considerando que médiuns receitistas, de cura e magnetizadores não são médicos, reza a prudência que evitem indicar medicamentos alopáticos e tratamentos próprios da medicina convencional ou tradicional. Tal campo é de competência da medicina terrena. À ciência médica espiritual cabem métodos mais brandos e naturais, a título de terapia complementar e objetivando incrementar a qualidade de vida e a saúde de meus irmãos.

Quando mencionamos essas situações, queremos sobretudo garantir a segurança dos trabalhos espirituais e a do próprio trabalhador que representa ou diz representar os Imortais. Reiteramos: mesmo na hipótese de que o necessitado de socorro venha a se sentir curado ou recuperado das enfermidades que o trouxeram ao contato com a realidade espiritual, é ético da parte do terapeuta do espírito não isentá-lo do tratamento médico convencional, mas sim recomendar que procure seu médico e siga suas orientações.

O princípio que deve pautar as ações é o seguinte: a medicina espiritual não compete com a medicina humana; antes, lhe serve de complemento, que não invalida a metodologia tampouco a atuação dos médicos do mundo.

De outro lado, mesmo não sendo médicos, os médiuns precisam saber anatomia e fisiologia; precisam ter o mínimo de conhecimento sobre o corpo humano, além de estudar constantemente fisiologia energética e espiritual. Chacras, corpos, formas-pensamento, parafisiologia do psicossoma em particular, assim como do duplo etérico, além de algo mais ou menos profundo a respeito do corpo mental, são tópicos centrais de estudo, a fim de não incorrerem em erros básicos que a simples intuição, desamparada de noções robustas, é incapaz de afastar. Ao mesmo tempo, quando os médiuns se preparam podem oferecer aos seus companheiros invisíveis instrumentos mais aprimorados, a fim de que exerçam sua atividade com mais eficácia.

A presença dos espíritos nas atividades de cura de meus irmãos não exime ninguém, sobretudo os médiuns, de continuar estudando e aperfeiçoando-se sempre. Sem estudo, sem disciplina e sem dedicação, dificilmente se terá a chancela dos espíritos superiores.

A propósito, é imperioso entender que nem todos os espíritos que pretendem atender meus irmãos em problemas relativos à saúde, entre outros de variada complexidade, são espíritos esclarecidos. Assim como na Terra há os que se passam por pessoas sérias, os que são enganadores e antiéticos, do lado de cá da vida existem os espíritos mistificadores; somente o estudo, o conhecimento e a coragem de enfrentá-los, com instrumentos espirituais apropriados, são capazes de desmascará-los. Não se iludam meus irmãos pensando que todo espírito que pretenda ajudar tenha real condição e intenção de fazê-lo.

De outro lado, existem também aqueles entre meus irmãos que são crédulos por demais. Se há espíritos que enganam, eles só encontram campo para tal por existirem pessoas que se expõem abertamente à possibilidade de ser enganadas.

De maneira análoga, assim como existem médiuns sérios e com real compromisso na área da cura, existem também aqueles que querem copiar outros, simular cirurgias espirituais e ser médiuns de cura a todo custo, ignorando que seu compromisso é em outra área da vida espiritual. Em nome do respeito, da dignidade e da fidelidade aos espíritos superiores, meus irmãos devem ficar atentos. Diante dos modismos do movimento espiritualista, qualquer um arma uma maca e se autodenomina médium de cura. E logo aparecem pessoas desavisadas, dispostas a se submeterem a tratamentos que o médium não conhece e para os quais não está preparado. Não basta uma maca e a aparência de se estar em transe para que a pessoa seja médium de cura e esteja bem assistida, do ponto de vista espiritual. As questões dessa ordem são por demais sérias para que meus irmãos se deixem levar pelos desatinos e irresponsabilidades de alguns que se julgam médiuns e não o são, ao menos nesse departamento.

Os médiuns e os trabalhadores do bem, de modo geral, precisam estudar sempre, saber mais, aprofundar os estudos e observações e conhecer as bases da filosofia espírita. Quem não estuda, candidata-se ao engano; quem não conhece nem se dedica ao aperfeiçoamento, à informação e ao incremento da cultura espiritual, torna-se porta aberta para intromissões energéticas e conscienciais indesejáveis e comprometedoras. Um elevado amigo espiritual diz, com propriedade, que médium sem estudo é ferramenta enferrujada. E nós acrescentamos que médium sem ética é ferramenta que já foi posta de lado e não nos serve mais.

Não podemos olvidar que a importância do trabalho do bem e a consideração que lhe é devida estão acima das pretensões e da leviandade das pessoas, sejam elas médiuns, trabalhadores, médicos ou quem for. Convém a cada um chamado a servir à humanidade, em nome do bem geral, desenvolver o senso de responsabilidade em relação à tarefa com a qual colaborará. Sabendo que ninguém é dono da atividade que realiza, é possível ser remanejado a qualquer momento, tanto quanto ser convidado a se afastar, a fim de que outro mais comprometido assuma o que não demos conta de fazer. O trabalho não nos pertence; ninguém é insubstituível, nem incapaz de realizar algo. A todos é dada a oportunidade de servir em alguma atividade, mas compete a cada um fazer-se necessário à tarefa por meio da dedicação e do esforço, do respeito e da dignidade que o trabalho merece.

Quando se trata do bem comum, o trabalho é mais importante do que o trabalhador. Tanto quanto é verdade que, quando se trata das necessidades humanas e da dor particular, o trabalhador é tão importante quanto o trabalho que ele representa. Por isso, merece, como qualquer ser humano, carinho, atenção e cuidados equivalentes aos do necessitado que procura atendimento. Não obstante, na tarefa diária, é bom não confundir os dois papéis; é preciso saber em que lugar nos colocamos: se no do consulente necessitado ou no do enfermeiro que serve em nome de Cristo.

Ressignificando a morte

EM TODAS AS ÉPOCAS a morte representou um grande mistério, que dominou os questionamentos de filósofos, religiosos e cientistas. Desde os dias mais antigos registrados nos anais do mundo — e mesmo antes, na história das civilizações perdidas ou esquecidas na poeira do tempo — até a atualidade, não obstante o advento do espiritismo e do espiritualismo moderno, ainda assim a morte parece ser um grande dilema. Até aqueles que dizem acreditar na imortalidade da alma, em sua maioria, ainda temem a morte à sua maneira. A maior parte a tem como algo que precisa ou deve ser evitado a qualquer preço, até mesmo quando se torna patente que o corpo físico já não suporta mais segurar o espírito, que o habita em caráter temporário.

Nem sempre a crença na imortalidade traz à pessoa a compreensão de que a verdadeira vida é a do espírito e o mundo verdadeiro, original e primitivo, com a verdadeira civilização, é o mundo extrafísico. Naturalmente, é compreensível esse apego à vida material e a interpretação de que esta é o cerne, uma vez que o cérebro físico, juntamente com tudo o que pertence ao mundo das formas, exerce sobre a mente um efeito hipnótico muitíssimo intenso, engessando-a. As questões nas quais o ser humano se envolve no dia a dia, a imersão nos problemas e dilemas do cotidiano da vida material, com seus inúmeros desafios, levam o espírito a pensar que a ilusão é a verdadeira realidade; que a somatória dos eventos materiais, aliada às conexões emocionais que alimentam as experiências entre os seres humanos encarnados, compõe a realidade maior.

Por sua vez, tudo o que se refere à vida no Invisível — até por ser impalpável e não perceptível aos olhos comuns, nas condições ordinárias da existência humana — torna-se quase irreal ou surreal, segundo a ótica da massa. Ainda por cima, a minoria que afirma acreditar na vida além da matéria o faz, muitas vezes, apenas no nível teórico, como se percebe mediante observação atenta. A ideia de retornar a essa outra vida e deixar todas as realizações materiais, abandonar todas as conquistas sociais e pessoais, traz à tona um medo ou pavor arraigado ao longo de milênios, que exerce domínio sobre atitudes e reações, como se fora uma força sobre-humana. A crença na imortalidade de maneira racional e inteligente, destituída de misticismos e mistérios, ainda é algo recente e estatisticamente escasso na história da humanidade.

Considerando-se tais fatores, é possível compreender as reações de meus irmãos quando da proximidade da morte e da transposição do ser para outra dimensão da vida e do universo.

De modo geral, os chamados espiritualistas são os que mais temem a morte, e esse é um mistério até mesmo para os ateus. Falar em morte, na própria morte, é algo nada comum. Admitir que a vida continua, que existe comunicação entre os dois mundos, que se comportam como universos paralelos, os quais se conectam em diversos aspectos, é muito fácil quando se trata de falar para os outros. Contudo, quando o indivíduo se vê diante da possibilidade de morrer, de regressar para o mundo original, a verdadeira civilização do espírito, as coisas mudam radicalmente. O medo se estabelece de imediato, e o pavor do momento da transição modifica as disposições íntimas daquele que crê no prosseguimento da vida.

Muitos temem a forma como possa ocorrer a transição; nesses casos, o pavor do sofrimento sugere ser maior do que a certeza da vida que prossegue. Outros ficam profundamente incomodados ao constatar que deixarão para trás o produto de todas as realizações, os sonhos profissionais e as ligações sociais, a fim de lançar-se rumo a algo que lhes é desconhecido, por mais que acreditem no prosseguimento da vida. Ainda há os que temem por saber que, do outro lado da delicada membrana existencial que separa as dimensões, encontrarão o resultado das ações, atitudes e semeaduras. Um quê de desespero toma conta de muitos, embora todos os esforços da humanidade jamais tenham conseguido evitar que a morte soprasse com seus ventos sobre as pretensões humanas e obrigasse todos ao recomeço, em novas paragens, ou ao mergulho existencial, num universo para além da matéria densa.

Talvez meus irmãos precisem modificar seu conceito de morte e de vida, alijar do cérebro as impressões fixadas pela hipnose dos sentidos da vida material, aliviar o impacto da herança religiosa, do medo e do sofrimento, renovando a visão desse momento importantíssimo na jornada humana. A morte nada mais é do que uma mudança de dimensão.

Numa época em que se fala tanto em universos paralelos, seres de outras dimensões e habitantes de um outro *continuum* espacial e temporal, a ideia da morte e da vida além-física ganha novos contornos. Aqueles indivíduos que denominamos espíritos talvez fossem mais bem definidos como seres de um universo diferente, de um plano existencial parafísico, multidimensional.

Fala-se bastante, na atualidade, acerca das possibilidades, ainda que em estudo e análise, de uma viagem entre dimensões. Entretanto, ignora-se que essa viagem já está em andamento e existe desde que o mundo foi criado.

Para os seres que se consideram vivos, corporificados no mundo das formas, existem duas maneiras de promover a viagem interdimensional. A primeira delas é, estando ainda de posse do corpo vulgarmente conhecido como material, desconectar-se dele, liberar-lhe a consciência por meio do desprendimento temporário e lançar-se através do tempo, do espaço e das dimensões, procedendo a observações e interações com os habitantes desse outro plano existencial. Passa a atuar ali, contribuindo ou experimentando situações cada vez mais expressivas, de acordo com a destreza mental que se pode conseguir ao longo do tempo.

A outra forma, comum a toda a humanidade, é quando o corpo, habitação passageira da consciência, não suporta mais conter o ser prisioneiro de seus limites; ocorre, então, o descarte biológico final. Esse método — mais ou menos brando, conforme programação nem sempre realizada no período entre vidas, mas a cada passo da existência finda — é definitivo, no que concerne à utilização do corpo biológico. A inteligência liberta-se definitivamente da matéria densa e passa por um período de adaptação, mais ou menos longo, a fim de ingressar de maneira completa e total numa dimensão compatível com sua realidade consciencial. Começa ou recomeça a viver, então, em meio aos habitantes da dimensão com a qual se afina vibratoriamente. Descobre, enfim, que a verdadeira vida, tanto quanto a verdadeira civilização, são aquelas para onde a pessoa retornou ou foi transferida. Percebe ter permanecido por longos anos com os sentidos nublados numa hipnose programada e influenciada pela matéria, pela vida social e pelas dificuldades que precisavam ser resolvidas e enfrentadas. Descobre, também, que a viagem que acabou de fazer, mergulhando na matéria, de modo algum foi capaz de destruir os laços de afinidade e amor forjados na vida social que tivera antes de assumir uma existência intrafísica; tudo permanecera inalterado, na dimensão paralela ao mundo material. Do mesmo modo, nota que, mesmo na dimensão além-física, ainda é possível entrar em comunhão com os seres que ficaram prisioneiros da ilusão de que a vida se resume à faceta material. Percebe que pode interagir com aqueles com quem conviveu temporariamente, antes do descarte biológico, e que, em determinadas circunstâncias, pode até mesmo falar com eles, interagir com seus afetos, mas a vida plena, o mundo verdadeiro e original, é o do espírito.

Ao contrário do que esse indivíduo imaginava, morrer é mergulhar na matéria, e ressuscitar é ultrapassar a barreira da morte e liberar-se para o encontro com o cosmo. O foco da visão modifica-se por completo e, devagar, o ser percebe-se imortal, leve, mais em comunhão com a pujança da vida no infinito. Enfim, ele se descobre um cidadão do universo.

Como se vê, é urgente uma revolução nos conceitos e na forma de ver o universo e seus habitantes, tanto quanto a morte e o morrer. Talvez meus irmãos pudessem elaborar um curso de preparação para a morte, conduzindo experiências de desdobramento, de viagem que exceda os limites do corpo, de percepção e compreensão dos diversos tipos de energia, além de libertar-se das amarras castradoras do medo inoculado pelas religiões milenares e mantido pela ignorância.

É hora de a humanidade, e de meus irmãos em particular, acostumarem-se com o fato de que irão morrer e de que a dor e a doença nem sempre ocorrem para ser curadas, mas funcionam, em muita gente, como um preparo, um processo de desmaterialização lento, gradual, mas perfeitamente eficaz. Essa chamada desmaterialização coloca o ser em contato com sua realidade espiritual, destrói ou desconstrói conceitos, modifica disposições íntimas, inaugurando uma nova etapa da consciência. A dor e a enfermidade podem, em certa medida, despertar a mente para o fato de que a vida verdadeira não é a material e que a pessoa, quando menos espera, está sujeita a se ver na iminência de realizar a passagem pelo túnel da vida, transportando-se definitivamente para a dimensão da verdadeira civilização, que é a do espírito. Por mais doloroso que seja o processo de enfermar, de adoecimento do corpo, ele opera como uma câmara de desmaterialização, que ocorre com todo ser vivo, embora nem sempre com resultados idênticos.

O mecanismo de nivelamento consciencial promovido pela dor e pelo adoecimento revela que estágio a criatura atingiu em sua caminhada pela vida e em suas experiências no mundo. Talvez a dor e a enfermidade — não o sofrimento — sejam um teste de nivelamento necessário para se conhecer o ponto alcançado pela inteligência, pela consciência e pelas emoções de quem o experimenta. Quando o momento for propício e o teste houver cumprido a função esperada, a pessoa pode liberar-se para enfrentar novos desafios, mais promissores e produtivos, no que concerne às realizações pessoais, íntimas, sociais e espirituais.

Essa espécie de aferição que a dor permite, que o adoecimento revela, atinge todos os seres, ricos e pobres, brancos e negros, crentes e ateus, inclusive aqueles que cultivaram todo tipo de pretensão possível no mundo das formas, na dimensão material. Ninguém, nenhum ser escapa desse mecanismo de nivelamento que certas experiências propiciam. Afinal, estamos todos inseridos numa grande escola, na qual precisamos o tempo inteiro ser testados e encontrar, enfim, nosso lugar, nossa classe de aprendizado.

A resposta do ser humano à dor, ao adoecimento — e, em última análise, à morte — define o grau de aprendizado a que chegou a criatura. Muita gente talvez não tenha se liberado da dor, ou não tenha se permitido ser liberada da dor, do sofrer, porque ainda não sofreu o suficiente. Quando o sofrimento atingir a consciência e modificar as disposições, quem sabe a própria pessoa se dê a permissão de ser libertada e liberada, a fim de prosseguir seu aprendizado nesta ou em outra dimensão, procurando descortinar novos limites, além das fronteiras da matéria e das limitações de crenças, opiniões e desejos descabidos, que se albergam em sua consciência.

Por ora, trabalhemos com vistas a aliviar quanto pudermos as dores daqueles que passam por alguma provação, na certeza de que cada um traz um programa de aprendizado; por mais que queiramos, não nos é dado, em hipótese alguma, isentar do aprendizado aquele que ainda não o consolidou. Por mais que amparemos e auxiliemos a pessoa, somente as forças soberanas da vida e a própria consciência do indivíduo poderão definir o momento certo em que será promovido a situações mais brandas. Somos apenas auxiliares invisíveis — e que permaneçamos invisíveis, tanto no corpo quanto fora dele, deixando a cada um a responsabilidade pelo aprendizado que a vida proporciona.

Enquanto esse processo ocorre, as ideias espíritas podem atuar como suporte para que a mente se liberte da ilusão, criada e mantida pela matéria, que gera o medo de enfrentar a mudança de dimensão. Querendo ou não, cada qual fará a grande viagem da vida. Trabalhemos para conscientizar meus irmãos de que o último momento no corpo não será nada diferente do primeiro instante do outro lado da barreira dimensional. Cada ser verá a vida do outro lado, na próxima dimensão, da mesma maneira como a vê no corpo físico, isto é, as impressões primeiras serão tão somente o prosseguimento das impressões, da visão e dos conceitos derradeiros da existência física.

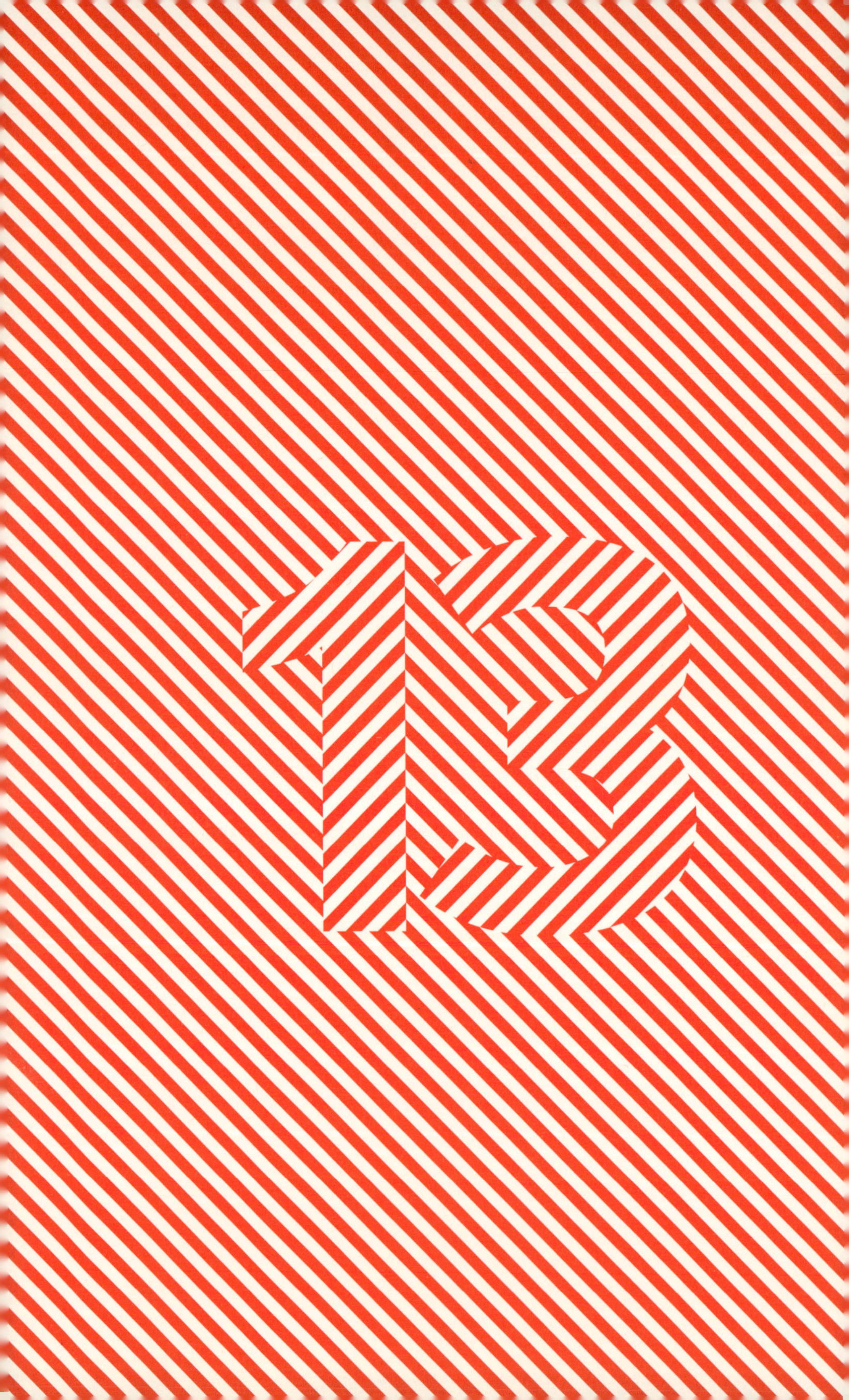

Os médiuns de todo lugar: médicos de almas, médiuns de energias

QUANDO A CIÊNCIA avançar mais um passo e meus irmãos médicos se abrirem à realidade do espírito e das energias sutis, quando transformarem o atendimento no consultório em uma experiência mais humanizada, alcançarão resultados mais amplos e promissores. A medicina humanizada atingirá o âmago dos seres, a própria alma humana, por meio de seus instrumentos de investigação e observação. Meus irmãos médicos poderão ir muito além dos limites da matéria e tratar bem mais do que dores físicas, doenças, vírus e bactérias, infecções e inflamações. A medicina adentrará o âmbito das energias sutis; o médico considerará o fator emocional, as crenças do indivíduo e detectará estados alterados da saúde e características da enfermidade que hoje permanecem incompreendidos. O bisturi da ciência fará uma incisão direta e profunda no ser; descortinará outros corpos, que vibram em realidades diferentes daquela em que vibra a matéria densa, e isso revelará aspectos novos para o sacerdote da vida, o médico de homens e de almas.

Pouco a pouco se alargam as fronteiras da observação científica; mais e mais de meus irmãos médicos admitem, estudam e compreendem fatores da existência além-física. A ciência cede em seu orgulho material e lança seu olhar sobre fronteiras até então desprezadas. Considera pouco a pouco as energias sutis, a realidade do espírito, as enfermidades espirituais, localizadas nos corpos astral e mental, embora nem sempre a origem espiritual seja admitida. A humanidade caminha não apenas rumo à humanização da medicina mas também marcha para a espiritualização da ciência, ocasião na qual o médico se converterá num auxiliar do Invisível, num médium da vida e das forças superiores comprometidas com o bem da humanidade.

Com essas observações, não quero sugerir que meus irmãos que têm a medicina como profissão se transformem em espíritas ou religiosos; todavia, é fato que número cada vez maior de profissionais, seja da área da saúde, seja de qualquer ramo científico, tem redescoberto o espírito. Assistimos a um sopro de espiritualidade, a uma brisa que, suavemente, tem se alastrado entre os representantes da ciência. Eles próprios chegam à conclusão de que teorias e tratados científicos tradicionais não trazem respostas aos grandes dilemas da humanidade e são incapazes de aplacar diversas facetas da dor humana; ao defrontar numerosos problemas e desafios na área da saúde, bem como em outros campos do conhecimento, é impossível obter soluções satisfatórias usando-se os métodos tradicionais. A ciência, então, abre as portas dos laboratórios para considerar o mundo das energias.

Indo muito além de exames como o eletroencefalograma, que mede a atividade elétrica no cérebro, e daqueles que empregam radiação ionizante, como a radiografia e a tomografia computadorizada; ou dos que não utilizam tal radiação, como a ultrassonografia e a ressonância magnética, eis que surge a medicina do futuro. Em seu diagnóstico, contempla os fluidos sutis e vê o corpo físico como uma rede dotada de energia vital, que é modificada, amplificada e distribuída por diversas ramificações, determinando o estado de saúde do indivíduo. Tudo isso é apenas uma prévia do que a ciência poderá descortinar num futuro bem próximo. Contudo, penetrar esse grande laboratório da vida universal exige não apenas dedicação, mas humildade suficiente para reconhecer que ninguém é dono da verdade e que ela apresenta várias faces.

Outras faces da verdade também se descerrarão quando meus irmãos médiuns se dedicarem mais ao estudo e ao aprofundamento das observações; quando deixarem de lado o isolamento que hoje define o trabalho de muitos e se derem as mãos, sabendo que trabalham pela mesma causa e não são inimigos, e abandonarem a disputa por público, aplauso e reconhecimento alheio. Quando isso ocorrer — o que talvez seja mais difícil do que a ciência admitir a existência do espírito —, muitas situações se modificarão e recursos inéditos serão enviados de nossa dimensão para os que se candidatam a nos representar no mundo. Quando os médiuns resolverem se dar as mãos, aprofundar seus estudos e abrir-se a críticas, considerando-as como aliadas ao crescimento e não como boicote, se somarão os recursos e se multiplicarão os resultados das experiências espirituais, no tocante ao auxílio ao próximo. A humanidade, então, adentrará uma era nova de conhecimentos, que irradiará por toda parte.

Quanto aos processos dolorosos de obsessão, por exemplo, será possível enfrentá-los com maior eficácia, à medida que se reunirem elementos de diferentes setores das pesquisas espirituais, de diversos médiuns e magnetizadores, cada qual colaborando com suas observações e experiências. Auxiliados pelo conhecimento e pelo método científico, médiuns estabelecerão parcerias com médicos e ambos se unirão, em favor do restabelecimento da paz nas almas e da saúde integral nos seres.

Para tanto, evidentemente, há que se libertar do orgulho, do proselitismo religioso, do desejo de fazer seguidores, de ser o mais certo, o mais inspirado, e da ideia de que se tem uma missão especial a desempenhar no mundo. Nossa maior missão é servir, e para servir temos de unir ciência e espiritualidade, cientistas, médicos e médiuns — algo que ocorrerá no futuro, mas desde já devemos lançar as bases sólidas dessa era de cooperação mútua.

A fim de se conquistar essa meta, será preciso admitir que nunca se acerta tudo. Que os médiuns, como os médicos, erram. Que os espíritos, por mais que sejam bons, não sabem tudo. Que certos mentores, considerados seres de elevada espiritualidade, não passam de seres humanos com boa vontade, mas quase sempre não são especialistas em determinada área. E que médiuns são apenas agentes da misericórdia ou da justiça divina, mas permanecem sendo humanos: estão aprendendo, errando e, também, tentando acertar.

Na ocasião em que isso ocorrer, a humanidade viverá o momento áureo da união da ciência espiritual com a ciência humana, num processo de espiritualização e humanização da ciência. Haverá ampla conscientização da parte dos médiuns e a respeito deles; ficará claro que não são especiais nem missionários, mas sim cooperadores do grande médico de nossas almas, Jesus, o qual permanece ainda hoje operante e dedicado, no silêncio e no anonimato, difundindo a metodologia da educação do espírito através de instrumentos humanos diferentes daqueles que muita gente acha que deveria usar.

As forças evolutivas que coordenam os destinos do planeta Terra definirão os próximos passos da ciência, que se converterá, no futuro, na religião do espírito, da humanidade.

A meus irmãos médiuns seria recomendado abrir mão de verdades absolutas, de pontos de vista estritamente pessoais, de modo a se abrirem à investigação científica e se aliarem a pesquisas sérias, a fim de alcançarem maior respaldo e credibilidade perante aqueles que ainda demoram em suas teorias absurdas ou na visão materialista. Há que se estabelecer uma parceria, buscar uma nova mentalidade, erigir uma nova forma de ver a vida e as questões espirituais. Meus irmãos médiuns precisarão se livrar do patrulhamento das instituições e suas convenções enrijecedoras, lançando-se ao trabalho do bem pelo bem em si, e não pensando em agradar dirigentes e aqueles que se arvoram em donos da verdade. Felizmente, para estes, a morte baterá às portas, chamando para a outra vida os que se colocam como entraves ao progresso. Muitos serão transferidos de dimensão por força da necessidade de renovação, a fim de desocupar o posto em que ora se encontram, atuando como obstáculo ao avanço das observações espirituais e científicas. A morte será a grande e abençoada força que abrirá o caminho a fim de que os novos homens, imbuídos de um sentimento mais elevado e de aspirações mais abrangentes e humanitárias, unam-se e criem um futuro em que o espírito será o grande alvo das observações da ciência. E a ciência será a grande aliada do mundo dos espíritos a serviço da era de renovação da humanidade. É preciso que haja novas disposições e se abram novas fronteiras à humanidade.

O papel da música como terapia da alma

MÚSICA É ALGO que sempre fez parte da história da humanidade. A vida é música, harmonia, vibração. Até os mundos na imensidão do cosmo, na trajetória que descrevem pelo universo, em constante entrechoque com as partículas cósmicas e as energias emanadas das estrelas, emitem vibrações e sons perceptíveis somente às almas superiores que trabalham entre mundos, em suas tarefas de mais amplas proporções.

Quando um planeta ainda em descompasso com o fluxo do progresso e da harmonia descreve sua marcha pelo espaço, ele emite uma música melancólica, algo que soa como um clamor, que se alastra em redor, deixando um rastro de energias e notas musicais perfeitamente perceptíveis às mentes adestradas de certas inteligências e consciências siderais. Quando seus habitantes encampam guerras, as notas dessa sinfonia parecem repercutir, nas mentes evolvidas, certa tristeza e, ao mesmo tempo, a dor que perpassa aquela humanidade em sofrimento. Na época em que se aproxima o fluxo transmigratório de cada mundo, a sinfonia ouvida assemelha-se aos altos e baixos de uma composição erudita, refletindo as mudanças que ocorrem com aquela humanidade planetária.

Na verdade, a música das esferas deriva quase absolutamente da matéria mental concentrada em torno dos mundos, isto é, das correntes de pensamento, superiores ou não, as quais se juntam à vibração do próprio mundo. A contraparte física tanto quanto a energética — embora conceitos como matéria e energia não sejam absolutos — pulsam em consonância com as mentes ali albergadas durante os milênios de evolução. Essas emanações formam uma sequência de ondas que fazem o fluido cósmico[1] movimentar-se pelo espaço em torno de cada globo, dan-

[1] Cf. KARDEC. *O livro dos espíritos*. Op. cit. p. 83-84, item 27s.

do origem a sons, cadências e músicas, melodias e concertos.

Na Terra, todos os seres vivos emitem sons e vibrações, que se transformam em ritmo e harmonia, em música de louvor e gratidão ou de tons melancólicos. Vegetais, animais e os próprios minerais emitem sons. Para serem percebidos pelos seres humanos, exigiriam instrumentos apropriados ou sensibilidade que ainda não faz parte da natureza puramente material; seriam necessários sentidos mais apurados, que no futuro ganharão amplo desenvolvimento nos habitantes da Terra, de sorte a viverem em plena harmonia com o meio onde transitam e evoluem.

No reino vegetal, por exemplo, a planta não apenas se ressente como emite um tipo de vibração quando é maltratada. Origina uma música melancólica em torno de si, perfeitamente audível pelos espíritos da natureza, mormente os elementais, os quais dela se aproximam na tentativa de aliviar aquilo que meus irmãos chamam de dor — e que, no âmbito vegetal, é resposta da pura sensibilidade de suas contrapartes física e etérica. Por outro lado, quando ocorre a poda de um elemento desse reino, uma sensibilidade e uma inteligência instintiva entram em ação e fazem com que a planta emita uma vibração numa determinada nota musical, harmônica, igualmente percebida pelos seres da natureza e pelos elementais. Além disso, todos os vegetais podem ter seu crescimento e sua composição química influenciados pela música e por outras vibrações. Em suma, o reino vegetal conta com diversos mecanismos, diferentes dos existentes no sistema nervoso humano, através dos quais são transmitidos estímulos vibracionais capazes de alterar, influenciar e estimular o desenvolvimento dos seres que ali estagiam.

De maneira análoga, os seres humanos são intensa e sensivelmente afetados pela música, tanto os encarnados quanto os que se encontram na erraticidade. No período entre vidas, seus sentidos estão extraordinariamente sensíveis, a ponto de perceberem determinadas vibrações e frequências que, durante a encarnação, no atual estágio evolutivo, seria impossível notar. Desse modo, desde o sistema nervoso, as glândulas e a linfa até o batimento cardíaco, passando pelos estados alterados de consciência, entre outras instâncias, podem e muitas vezes são acionados e estimulados, tornando-se largamente sensíveis à música. As notas e o compasso musical são capazes de influenciar o ser humano, bem como a frequência das ondas produzidas, seja por instrumentos, seja pelo canto e pelos demais sons produzidos pelo homem, carregados de emoção e sentimento.

Quando se trata de cura ou tratamento de alguma enfermidade, tanto os sons quanto as cores estimulam a ocorrência de estados benéficos; no caso dos sons, isso ocorre quando são melodias ou ritmos que propiciem estados elevados da consciência. Há que ter o cuidado de estudar quais vibrações, quais ritmos desencadeiam esta ou aquela emoção. Corre-se o risco de prejudicar o andamento do trabalho caso se exponha a pessoa a ser tratada a determinado tipo de música sujeita a provocar resistência ou desestímulo ao processo de cura, assim desacelerando a resposta do organismo. Quando o canto é acompanhado de um instrumento de harmonia, em ritmo mais tranquilo e doce — e também quando a pessoa sabe cantar com harmonia —, a música produz um estado de espírito que favorece o tratamento de meus irmãos, na medida em que induz a mente e as células do corpo à recomposição e à reorganização. De outro lado, se a música é cantada de forma desarmônica, o contrário acontece. Ela influencia negativamente a resposta da mente aos estímulos de tratamento a que a pessoa tem sido submetida.

Sob essa ótica, a música — desde que selecionada, entoada de modo harmonioso e, preferencialmente, acompanhada de um instrumento adequado ao ambiente — pode ser um instrumento excelente para produzir resultados de qualidade. Treinar o canto, cantar com harmonia, no ritmo certo e com melodia adequada ao ambiente são aspectos que podem favorecer estados de consciência elevados; do contrário, a música entoada pode propiciar a melancolia e a tristeza, evocando sentimentos desnecessários ao tratamento que se pretende realizar.

Saber escolher a música certa para cada tipo de tarefa é uma arte que precisa ser fomentada entre meus irmãos. Instrumentos harmônicos — de corda, por exemplo — agem diretamente sobre os chacras superiores, estimulando-os na produção de energias benéficas. Instrumentos de sopro, por sua vez, influenciam os chacras frontal e laríngeo, ajudando a regular o fluxo energético desses importantes centros de força, com repercussões sobre o duplo etérico e o sistema nervoso, ao passo que os de percussão intervêm nos chacras inferiores, especialmente no plexo solar e no esplênico. De acordo com o ritmo e a harmonia produzidos, estes podem ser auxiliares eficazes na regulagem de energias geradas, amplificadas e em transmutação através desses chacras. A união de diversos instrumentos, sempre de maneira harmoniosa, pode se converter em acessório de cura, auxílio e elevação ou, pelo contrário, de viciação mental e emocional, conforme a natureza da música, do ritmo e da vibração emitida.

Essas são algumas das razões pelas quais aconselhamos meus irmãos a se valerem, com maior frequência, de ritmos e harmonias musicais, do canto sonoro e agradável, como auxiliares nas diversas terapias utilizadas em benefício daqueles que sofrem. Reiteramos que um estudo mais detalhado do tipo de música e da forma de empregá-la, no momento apropriado, seria muito desejável entre meus irmãos. Como em tudo, o bom senso deve prevalecer, pois nem sempre a música que agrada a alguns é a melhor para os demais. O que está em jogo, muito mais do que o gosto pessoal, é a pertinência desta ou daquela vibração, à luz da atividade empreendida.

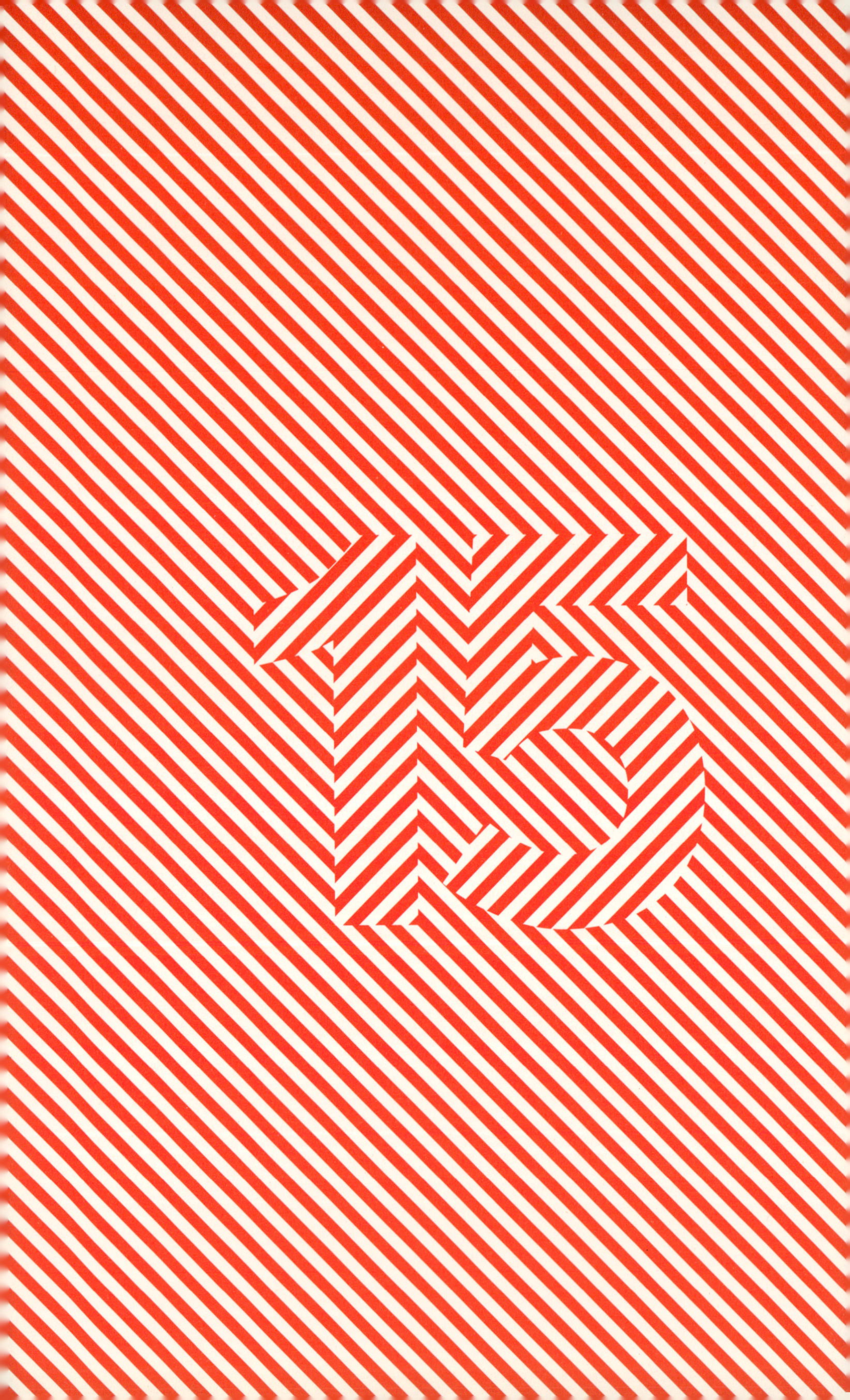

Curando as emoções

QUANDO SE FALA de tratamento e cura das enfermidades, não podemos esquecer a relação existente entre mente, corpo e emoção. O organismo pode expressar de maneira bem nítida a linguagem dos sentimentos e emoções albergados no âmago do ser. De modo não verbal, muitas emoções são expressas através da postura corporal e refletidas no corpo, em matizes de saúde e enfermidade. Por intermédio de uma linguagem que extravasa de maneira inconsciente, não articulada, o corpo fala daquilo que o ser não manifesta deliberadamente. Essa comunicação, muitas vezes, soa como uma nota desarmônica e dá origem a quadros alterados na saúde do indivíduo.

Não há como disfarçar por muito tempo as emoções, os desgostos, as insatisfações e a infelicidade. O corpo é um instrumento perfeito, que expressa com exatidão o que suas células captam da mente que as governa. Como um livro, no qual nem sempre se escreve uma história de sucesso e estímulo, o corpo decifra a alma e torna-a conhecida em seus encantos, arranjos e desarranjos, muitas vezes expressando no estado enfermiço aquilo que está em desalinho no ambiente interno de meus irmãos.

A relação mente e corpo é tão estreita que, em grande número de pessoas, a despeito de todos os recursos à disposição da recuperação da sua saúde, nada parece fazer efeito. É que as emoções emitiram a ordem às células, programando-as de tal maneira a mostrarem que as coisas não andam nada bem na intimidade. Sem que as emoções estejam cicatrizadas, curadas ou em estágio de tratamento, diversas tentativas de curar o corpo tornam-se inúteis ou infrutíferas. Afinal, as cirurgias e os tratamentos visam apenas ao órgão ou às células, não à fonte tão comum de desarmonias, que é mais interna, profunda.

Como exemplo, tomemos a pessoa que guarda mágoas e traz situações emocionais malresolvidas, ou entroncamentos emocionais profundamente arraigados e complexos. Ela apresenta tendência a não conseguir se livrar de enfermidades e sanar as mazelas do corpo; nem mesmo os espíritos o logram fazer, uma vez que conserva situações íntimas que precisam ser debeladas com a máxima urgência.

O psiquismo do ser humano atua de maneira inconfundível e intensamente sobre as células do corpo somático. São as emoções o grande canal através do qual a mente se manifesta no corpo, em estados de saúde e enfermidade. Se analisarmos a saúde de maneira integral, ela pode ser definida como um estado biopsicossocioespiritual, enquadrando a mente e as emoções, além das energias sutis, como fatores que a definem.

Quando se fala em curar, em empreender alguma terapia qualquer, seja de caráter físico ou espiritual, o significado da cura vai muito mais além do que meramente sanar o corpo, erradicar determinados sintomas ou agentes patogênicos. Como se sabe, o homem é o resultado dos sentimentos, emoções e pensamentos que alimenta, atualmente como no pretérito. Curar o corpo, portanto, não é o objetivo principal de um procedimento espiritual. Se o foco for a saúde integral, é preciso ir muito mais adiante.

Há muita gente que já fez diversos tipos de tratamento e a enfermidade, persistente, regressa por outras vias e em outro formato. Muitos já se submeteram a tratamentos espirituais, a cirurgias mediúnicas, contudo não alcançaram a cura. Esquecem-se, tanto enfermos quanto muitos trabalhadores que servem em nome do bem comum, de que a cura deve ser mais profunda, e a cirurgia verdadeira é a da alma. Uma mente enferma, com emoções enfermas, não pode favorecer uma cura permanente e, às vezes, nem sequer superficial. O homem é o resultado daquilo que pensa e sente. Sob esse aspecto, a doença que acomete meus irmãos pode muito bem ser definida como desequilíbrio, mas não somente o existente nas células de determinado órgão físico, mas na totalidade do ser humano.

Há muito mais conexões entre saúde e emoção do que meus irmãos têm reconhecido. Curar-se é, sobretudo, enfrentar as emoções e atitudes que desencadearam a enfermidade. Caso nos seja possível intervir e curar uma pessoa de determinada enfermidade, sem que seja solucionado ou enfrentado o processo emocional que a desencadeou, tal enfermidade retornaria sob nova vestimenta. Não há como escapar: o homem é fruto daquilo que sente, pensa e faz.

O corpo funciona como um compêndio ou um registro automático da história emocional do indivíduo. O passado do sujeito ressurge nas letras vivas da saúde ou da enfermidade, da dor ou do sofrimento, como se fossem escritas com sangue e dor, mostrando a necessidade de reajuste perante as leis da vida e perante a própria consciência. Quando o corpo enferma, é porque ele já ultrapassou os limites da tensão emocional, seja nesta ou em outras existências. A dor é uma forma de chamar a atenção do ser para o fato de que algo precisa ser modificado e reajustado. Como a linguagem do corpo é sutil, nem sempre a pessoa lhe dá importância ou percebe que o foco não está na periferia orgânica, mas na intimidade do ser. Embora dê maior atenção ao que ocorre no corpo, por incomodar mais, a necessidade imediata é de uma cirurgia na alma. E convém lembrar que certas cirurgias são profundamente dolorosas, uma vez que se trata de uma incisão profunda nas emoções, nas atitudes, desnudando a pessoa, como se estivesse deitada numa mesa de cirurgia e pudesse, ela própria, perceber-se nua ante a própria consciência.

Para não abrir mão de viver de maneira politicamente correta, contrária a seu verdadeiro bem-estar, muita gente se deixa enfermar, morrendo lentamente, num aparente suicídio emocional. Albergam emoções descontroladas, fecham-se à solução para esse desequilíbrio, adoecendo gradativamente e desafiando as defesas do organismo. Numa luta desenfreada por seu lugar na vida, na ânsia por conquistas que logo perdem o sabor, ou no desejo de ser aquilo que ainda não estão preparados para ser, os homens permitem que as emoções, os sentimentos e as fontes sagradas do pensamento adoeçam, em caráter progressivo. O corpo, então, passa a expressar o desequilíbrio íntimo cultivado não raramente durante anos a fio, até atingir o limite máximo que a mente possa suportar antes de derramar sobre o físico o excesso emocional marcado pelas atitudes desencadeadoras. O corpo jamais deixa de ter razão.

A fé, a harmonia, o trabalho no bem, as atitudes e os comportamentos sadios podem se revelar como importantes instrumentos para recuperar o equilíbrio. Mas que fique claro que nem cirurgias espirituais, nem cortes profundos no corpo, com ou sem dor, com ou sem anestesia, produzirão algo de bom e estável, caso a pessoa não se modifique, não se enfrente. Quando ela não reconhece que há algo para ser transformado, então a cura ainda está distante, pois só é possível reformar, mudar e modificar quando se tem a certeza de que há algo a ser reciclado, renovado. Do contrário, a dor cumprirá, por longo tempo e sob novas vestimentas, o papel que lhe cabe, que consiste em incomodar até que a consciência acorde para o fato de que a saúde não é só do corpo, mas integral; a fim de alcançar a cura, o espírito precisa enfrentar-se, resolver-se, ter coragem, ao menos, de admitir que precisa mudar. Sem isso, em vão procurará os recursos da medicina espiritual ou terrena, se não ocorrerem mudanças substanciais que possam ter valor significativo na sua qualidade de vida mental, emocional e social.

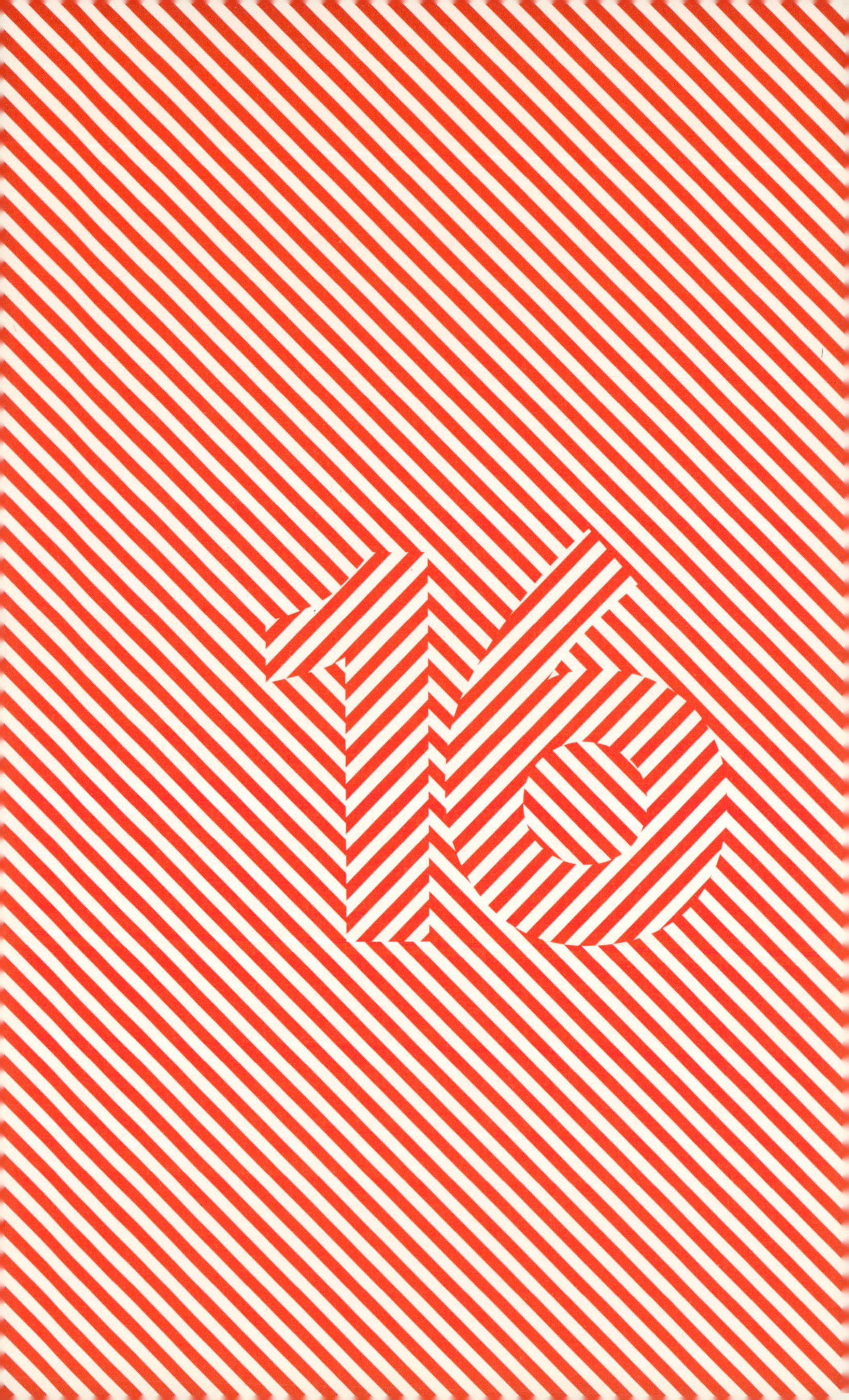

O papel do magnetizador e do médium de cura

MAGNETIZADOR ou médium de cura? Muitos ainda se referem à própria aptidão como sendo mediunidade de cura.[1] Embora a mediunidade nos dias atuais esteja vulgarizada a ponto de encontrarmos médiuns quase em toda parte — falo dos médiuns ostensivos e com trabalho de qualidade —, ainda assim há alguma confusão em relação àquele tipo específico de faculdade. Muitos que se dizem médiuns de cura são, na verdade, magnetizadores,[2] isto é, haurem a força magnética de si mesmos, ainda que haja quem a cana-

[1] Cf. "Médiuns curadores". In: KARDEC, Allan. *O livro dos médiuns ou guia dos médiuns e dos evocadores*. 1ª ed. esp. Rio de Janeiro: FEB, 2005. p. 250-253, 267-268, itens 175-176, 189.

[2] No sentido kardequiano, referindo-se ao magnetismo animal, ramo

lize de pessoas presentes no ambiente, a fim de auxiliar, com esse extraordinário recurso, os que sofrem de algum mal de caráter físico, energético ou espiritual. O magnetismo está na base de todos os fenômenos da mediunidade, embora não deva ser confundido com ela.

De acordo com o que observamos entre meus irmãos espiritualistas, esotéricos, místicos, religiosos e espiritistas, parece haver um esforço sobre-humano para se demonstrar que se é médium, a qualquer custo. Há mesmo quem coloque uma maca em determinado recinto, o decore com alguma luminária de luminosidade colorida, procurando criar um clima especial, para o qual também colabora a música ambiente — elementos que certamente influenciam os estados emocionais de quem será atendido — e pronto: o indivíduo já se diz médium de cura. Estende as mãos com alguma noção de processos de transferência bioenergética, em regra oriundos do conhecimento mais ou menos acentuado

do qual Mesmer (1734–1815) é considerado pioneiro. Atualmente, também conhecido como bioenergia.

sobre magnetismo humano, e está preparado o pano de fundo para que se declare orientado ou usado como veículo de algum espírito cirurgião. Como há um excesso de componente místico na vasta maioria do público, assiste-se a uma disputa por quem será atendido, quem se deitará na maca, por acreditar ser este um tipo especial de tratamento. Mas esse deslumbramento é fruto de misticismo, e não da real necessidade, e se opõe diretamente à fé racional e inteligente.

O Brasil guarda profundas raízes no passado colonial e nos arroubos da sociedade escravocrata, que graças a Deus ficou no passado. Por isso, de modo geral, os elementos eleitos como figuras mais expressivas, supostamente dotados de inteligência invulgar, elevação espiritual e conhecimento mais amplo correspondem às personalidades que representavam, perante as sociedades da colônia e do império, o maior grau atingido pelo homem em termos culturais e civilizatórios. Foram eleitos, no passado, os europeus, os padres e, naturalmente, os médicos como os símbolos de maior notoriedade e significado para a cultura da época. De modo que quase toda família mais ou menos abastada aspirava a ter um filho que fosse clérigo ou médico, sem poupar esforços para que estudasse na Europa.

Como se pode notar, isso não ficou restrito ao passado. Ainda na atualidade, os representantes da cultura europeia — como, por exemplo, os religiosos da igreja secular, bem como o profissional da medicina, chamado doutor — e os atributos conferidos por seus diplomas ainda dão ibope entre muitos espiritualistas. Encontros, conferências e congressos espiritualistas chamam mais a atenção quando exibem os títulos acadêmicos de algum médico. E ainda mais notável e competente o expositor é considerado se porventura anuncia ser alguém que viaja pelo mundo, que é conhecido e faz palestras em vários países, mesmo que sejam feitas para um público diminuto — de 10, 20 ou 30 pessoas —, fato ignorado pela maioria, que aplaude e elege esses senhores como sinônimo de sabedoria e elevação. Saudosismo do passado colonial? Ou será possível que restem lembranças atávicas no inconsciente da população brasileira, particularmente daquelas figuras que tiveram papel de destaque num momento social crucial de sua formação como povo?

De qualquer maneira, nos dias atuais, ao visitar a maioria das casas espiritualistas, encontra-se com facilidade o espírito de um médico — geralmente, europeu — atendendo através de algum médium. E o título, que ele obteve quando encarnado, parece fazer parte de seus atributos espirituais. Chamam-no ainda de doutor. Como se títulos terrenos fossem atestado de competência do lado de cá da vida; como se fossem credenciais espirituais capazes de atestar a capacidade e a elevação dos habitantes do mundo dos espíritos.

Obviamente, com minhas reflexões não estou desmerecendo o trabalho de quem quer que seja — até porque atuo no campo da medicina espiritual e, com efeito, vivi minha encarnação mais recente em solo europeu. Contudo, apelo à reflexão de meus irmãos. Num país onde centenas de milhares e, até mesmo, milhões de negros desencarnaram sob o comando e o orgulho de outros povos, pergunto: onde estariam tais entidades, tais espíritos de negros e ex-escravos, no plano astral próximo e contíguo ao país onde viveram? Foram exterminados ou trancafiados também como espíritos? Onde, os milhares de índios dizimados, catequizados num processo de violência emocional e espiritual, que abandonaram o corpo físico em solo brasileiro? Será preciso que todos os espíritos que se manifestam sejam importados do plano astral do velho continente? Não há sabedoria entre os representantes daqueles povos?

No quadrante oposto, porventura todos os espíritos que tiveram como ocupação a medicina, a enfermaria e os demais ramos da saúde amealharam conhecimento sobre fisiologia espiritual e energética, estados alterados da consciência e patologias próprias dos corpos astral e mental? Terão sido seus diplomas e títulos suficientes para que fossem reconhecidos, do lado de cá da vida, como dignos representantes do Mundo Maior, de uma espiritualidade comprometida com o bem da humanidade?

As perguntas que faço têm como objetivo principal fazer meus irmãos pensar um pouco mais acerca da natureza das questões espirituais e da seriedade com que devem ser tratadas. Além disso, espero auxiliá-los a analisar como as crenças do passado, o histórico cultural e espiritual de um povo ou de uma raça podem influenciá-los, motivando, inclusive, manifestações puramente anímicas, revestidas de pretendida espiritualidade.

Afora essas observações, que merecem reflexão por parte do mais comum dos aprendizes da ciência do espírito, fica aqui a recomendação a meus irmãos para que possam estudar um pouco mais os escritos de um estranho senhor chamado Allan Kardec, mormente certo livro, um tratado de ciências psíquicas, ainda sobejamente desconhecido pela maioria que se diz aplicada nas verdades espirituais, denominado *O livro dos médiuns*.[3] Talvez dessa forma se possa conhecer melhor algo a respeito da natureza e da legitimidade do processo mediúnico e dos representantes do Além.

Com certeza as diferenças entre o magne-

[3] Cf. KARDEC, Allan. *O livro dos médiuns ou guia dos médiuns e dos evocadores*. Op. cit. (Há diversas traduções e edições disponíveis no Brasil.)

tizador e o médium de cura[4] mereceram a observação do emérito codificador do espiritismo. Apesar disso, é algo quase desconhecido e muitas vezes, até, desacreditado por muita gente que diz ser representante oficial dos espíritos superiores. Em suma, o que queremos enfatizar é que todo ser humano detém, num grau qualquer, o potencial e a habilidade de transmitir energias, de magnetizar, com maior ou menor efeito e qualidade. Além disso, um número expressivo de pessoas é capaz de entrar em contato mais ou menos intenso com os chamados desencarnados, aqueles que realizaram a grande viagem da vida. Portanto, nem todos os fenômenos de cura são realmente produto da interferência de um médium de cura, nem tampouco os fenôme-

[4] "A magnetização ordinária é um verdadeiro tratamento seguido, regular e metódico; no caso que apreciamos, as coisas se passam de modo inteiramente diverso. Todos os magnetizadores são mais ou menos aptos a curar, desde que saibam conduzir-se convenientemente, ao passo que nos médiuns curadores a faculdade é espontânea e alguns até a possuem sem jamais terem ouvido falar de magnetismo" (KARDEC. *O livro dos médiuns*... Op. cit. p. 250-251, item 175).

nos do gênero são todos realizados por espíritos. Muitos são fruto do magnetismo animal, da própria pessoa que comparte seu magnetismo, seus fluidos próprios, e os transmite direta ou indiretamente a quem deles necessite, mesmo que de modo inconsciente, sem sequer saber que detém tal habilidade, tal potencial magnético.

Porém, dá mais ibope o médium afirmar que está sendo utilizado por um médico, preferencialmente de procedência europeia, ou então um padre — figura que, no passado, não raramente causou imenso dano e transtorno à divulgação da doutrina espírita, mas agora, milagrosamente, vem ajudar, atendendo dentro de um centro espírita.

Ainda considerando os títulos e posições sociais e acadêmicas da Terra, em contraste com os verdadeiros atributos do espírito em seu mundo original, devo dizer que, como espírito e pesquisador, ainda não encontrei nenhum dentista desencarnado prestando tratamento dentário através de algum médium. Também não deparei com alguém que, na Terra, fosse veterinário e cuidasse de cães e gatos em supostas cirurgias espirituais autênticas. E o que dizer, então, de antigos advogados, engenheiros? Para ser mais radical, indago: onde estão as lavadeiras, os pedreiros, os carpinteiros, os marceneiros, os limpadores de rua, as domésticas e as costureiras? Por que integrantes desses últimos grupos não se manifestam nos médiuns da atualidade? Que cada um responda para si mesmo.

Aprofundando as observações quanto à prática dos processos de tratamento espiritual, chega-se à conclusão de que não se estuda mais, ou se estuda muito pouco, a respeito do magnetismo e de suas leis, tanto quanto acerca da natureza e da característica dos espíritos. Ignoram-se quase por completo os experimentos realizados no passado por hábeis e dedicados magnetizadores ou, simplesmente, nunca se ouviu falar das técnicas avançadas de tratamento magnético. Uma maca e uma luz colorida, azul ou vermelha, já bastam para formar um clima de pretendida espiritualidade. Juntem-se a isso algumas palavras pronunciadas em linguagem exótica, que ninguém conhece — nem sequer o espírito comunicante —, e está desenhado o quadro dos incautos. Todo esse aparato pode ser usado por espíritos mistificadores e médiuns charlatães, mas, como tudo é feito em nome do bem, admite-se *a priori* que o espírito comunicante é realmente quem diz ser, sem questionamento, sem análise nem reflexão.

Não digo que não existam espíritos associados a tais pessoas, a muita gente e a muitos médiuns dotados de mediunidade genuína. Não obstante, como estudo e reflexão são apanágios dos pesquisadores e da própria ciência do espírito, não se pode abdicar do direito de propor tais indagações.

Para os espíritos, pouco ou nada importam os títulos acadêmicos, a profissão que algum espírito exerceu quando encarnado ou sua especialidade, mesmo que seja na área médica. A elevação do espírito se mede por outros atributos. Para compreender isso, é preciso consultar certo compêndio de filosofia espiritual chamado *O livro dos espíritos*.[5] Somente o estudo e o exame

[5] Cf. KARDEC, Allan. *O livro dos espíritos*. Op. cit. (Há diversas traduções e edições disponíveis no Brasil.) Notadamente, visando à finalidade

atentos poderão determinar com propriedade a natureza do espírito comunicante tanto quanto dos médiuns e magnetizadores. Só é possível fazer ciência espírita estudando, experimentando e questionando sempre os dirigentes espirituais das atividades.

Ao se desenvolver a maturidade nas tarefas espirituais, não importa mais se o espírito comunicante foi um negro africano, um pedreiro, uma doméstica ou se ocupou, na Terra, algum cargo profissional de certa notoriedade em determinada época ou cultura, tal como engenheiro, advogado ou qualquer outro. Muitos espíritos foram hábeis magnetizadores quando encarnados, sem o saberem, sem o conhecimento acadêmico e, do lado de cá, continuam a exercer suas habilidades — agora ampliadas —, mediante o estudo e a especialização, manipulando os fluidos imponderáveis do espaço. Muitos ex-escravos ou espíritos de algum modo ligados à cultura afrobrasileira, chamados por meus irmãos de pais-velhos,

indicada, recomendam-se os textos "Diferentes ordens de espíritos" e "Escala espírita", itens 96-113, e "Da perfeição moral", itens 893-919.

como também inúmeros xamãs, chefes índios ou pajés são habilidosos manipuladores de ectoplasma. Além disso, os legítimos representantes dessas falanges conhecem a natureza humana de maneira muito profunda e compreendem como poucos suas dores e mazelas. Com efeito, dominam as técnicas da ectoplasmia e a manipulação de fluidos da natureza, ao contrário de tantos que foram médicos ou padres. Sem contar os que, por orgulho pós-desencarne, ainda ostentam os velhos títulos de doutor ou da hierarquia clerical, aplaudidos e incensados por dirigentes e médiuns desconhecedores, entre tantas coisas, dos conceitos mais elementares expressos nas obras básicas da codificação espírita.[6]

[6] Convencionou-se chamar de *obras básicas* os cinco principais títulos da codificação kardequiana, quatro dos quais desenvolvem, cada qual, uma das partes que compõem *O livro dos espíritos*, considerado não apenas o marco inaugural da filosofia espírita, mas o texto que, a um só tempo, introduz e sintetiza as ideias espíritas. Esse livro foi publicado em Paris, em 18 de abril de 1857, porém ganhou aspecto próximo do definitivo, composto das quatro unidades citadas, apenas na segunda edição, lançada em março de 1860. Também integram as obras bási-

O que quero transmitir com essa reflexão é que se dá mais importância ao título, à profissão desenvolvida pela pessoa quando encarnada, do que aos verdadeiros atributos espirituais que ela detém e à sua capacidade real de produzir um trabalho de qualidade.

Não é que espíritos de antigos médicos ou outros citados não sejam merecedores de consideração. Todavia, é preciso ter cuidado, porque o fato de alguém haver exercido a medicina terrena não significa — em hipótese nenhuma — que seja necessariamente conhecedor da medicina

cas: *O livro dos médiuns ou guia dos médiuns e evocadores* (1861), *O Evangelho segundo o espiritismo* (1863), *O céu e o inferno ou a justiça divina segundo o espiritismo* (1865) e *A gênese, os milagres e as predições segundo o espiritismo* (1868). Os anos em parênteses correspondem à primeira edição francesa de cada título. De todos eles, há diversas traduções disponíveis no Brasil, embora as de Evandro Noleto Bezerra, publicadas pela Federação Espírita Brasileira (FEB) a partir de 2007, sejam fruto da mais ampla pesquisa de que se tem notícia. Por meio do cotejo de diferentes edições originais, lançam luz sobre certas controvérsias e obscuridades, além de resgatar trechos que haviam se perdido em traduções até aquele momento.

espiritual. Esta tem por campo de investigação a fisiologia energética, extrafísica, e emprega recursos diversos das drogas ou instrumentos cirúrgicos usados na Terra, por exemplo. Ademais, a medicina espiritual não tem o corpo físico como alvo prioritário de ação. Os métodos utilizados por ela exploram o puro magnetismo, o ectoplasma, o bioplasma dos vegetais, os fluidos dispersos na atmosfera, as propriedades da luz astral e sideral, entre outros aspectos ainda não estudados por meus irmãos médicos, na Terra.

Talvez seja em virtude de situações desse tipo que o ilustre codificador do espiritismo tenha sugerido, em suas obras, questionar sempre os espíritos que vos dirigem.[7] Sem questiona-

[7] "Têm ainda outra vantagem [as perguntas]: a de concorrerem para o desmascaramento dos Espíritos mistificadores que, mais pretensiosos do que sábios, raramente suportam a prova das perguntas feitas com cerrada lógica, por meio das quais o interrogante os leva aos seus últimos redutos. Os Espíritos superiores, como nada têm que temer de semelhante questionário, são os primeiros a provocar explicações, sobre os pontos obscuros. Os outros, ao contrário, receando ter que se haver com antagonistas mais fortes, cuidadosamente as evitam" (KARDEC. *O*

mento e sem pesquisa, sem estudo e sem averiguação, com espírito científico, não se pode fazer ciência espírita. Como afirmei em uma obra anterior: "Não se faz ciência espírita concordando sempre com os espíritos",[8] sem questioná-los, sem ter certeza absoluta da natureza daqueles com quem se faz parceria.[9]

livro dos médiuns... Op. cit. p. 444, item 287).

[8] PINHEIRO. *Além da matéria*. Op. cit. p. 24.

[9] "É essa a pedra de toque contra a qual vêm quebrar-se as imaginações ardentes, por isso que, arrebatados pelo ímpeto de suas próprias ideias, pelas lentejoulas de seus conhecimentos literários, os médiuns desconhecem o ditado modesto de um Espírito criterioso e, abandonando a presa pela sombra, o substituem por uma paráfrase empolada. Contra este escolho terrível vêm igualmente chocar-se as personalidades ambiciosas que, em falta das comunicações que os bons Espíritos lhes recusam, apresentam suas próprias obras como sendo desses Espíritos. *Daí a necessidade de serem, os diretores dos grupos espíritas, dotados de fino tato, de rara sagacidade, para discernir as comunicações autênticas das que não o são* e para não ferir os que se iludem a si mesmos" (KARDEC. *O livro dos médiuns...* Pelo espírito Erasto. Op. cit. p. 339, item 230. Grifo nosso).

Reuniões de ectoplasmia e seus objetivos

NINGUÉM PODE FAZER tudo sozinho no universo. Nem os homens, nem os espíritos. Se porventura me atrevesse a dizer que nem Deus o pode, talvez muitos de meus irmãos se sentissem indignados. O universo foi criado menino, criança. Tudo é perfectível, mas a vontade criadora deixou tudo inacabado, de tal modo que o homem pudesse participar da obra da criação colaborando, aprimorando o que foi feito. Esse princípio geral perpassa tudo, e denota que em tudo existe cooperação no universo.

Com o trabalho dos espíritos não poderia ser diferente. Precisamos das energias de meus irmãos médiuns para realizar inúmeras intervenções no mundo, não apenas na dimensão física, mas também na realidade astral. Assim como os médiuns não podem realizar sozinhos, sem os espíritos, o que lhes cabe, nós, as consciências extrafísicas, igualmente não somos capazes de cumprir o que nos compete sem o concurso de nossos parceiros no mundo. É um processo de cooperação e de parceria entre as dimensões da vida.

Do vasto laboratório do mundo invisível, extraímos elementos, construímos nossa tecnologia extrafísica e movimentamos energias impossíveis de serem movimentadas apenas no mundo das formas. Nossos aparelhos, nossas conquistas tecnológicas e possibilidades imensas no campo das pesquisas científicas deixariam muitos de meus irmãos cientistas boquiabertos. O conhecimento fora da matéria amplia-se cada vez mais. No entanto, temos de pesquisar, estudar e experimentar, pois nenhum espírito de minha esfera é detentor da ciência plena e do conhecimento integral; muito pelo contrário. Devemos nos debruçar sobre o compêndio da ciência universal, investir horas, dias e anos a fio estudando, experimentando e aprofundando nosso conhecimento para então, a cada passo ou conquista, chegarmos à conclusão de que somos apenas meros aprendizes da maravilhosa ciência do espírito. Nada é fortuito, e ninguém, nenhum habitante da dimensão à qual me encontro vinculado, pode se dar ao luxo de dizer que tudo sabe. Aliás, quanto mais estudamos, mais descobrimos que nada sabemos.

Numa análise do panorama do lado de cá da vida, pode-se dizer, a título de comparação, que o desenvolvimento da civilização extrafísica está mais ou menos 500 anos à frente das conquistas de meus irmãos encarnados. Mesmo assim, não podemos fazer tudo sozinhos. Necessitamos de parceiros mergulhados na realidade física a fim de movimentar energias, auxiliar-nos em nossas pesquisas e, é claro, viabilizar nosso trabalho no mundo das formas.

Energias geradas a partir da união do princípio espiritual com o elemento material, no processo de *intelectualização da matéria*,[1] são preciosas para alimentar nossas reservas fluídicas, dotando-as de propriedades que não encontra-

[1] Cf. KARDEC. *O livro dos espíritos*. Op. cit. p. 82-83, item 25.

mos do lado de cá, na dimensão do espírito. Processos intricados de nossa tecnologia, fenômenos produzidos exclusivamente no contato da energia de meus irmãos inseridos na realidade do mundo físico, aliados às energias imponderáveis da natureza astral e sideral, só são possíveis em parceria.

Laboratórios inteiros, montados nas chamadas *zonas de libração*, no limiar entre dimensões, só são possíveis e suas experiências viáveis mediante a doação de energias próprias do mundo físico, as quais designamos genericamente sob o nome *ectoplasma*. Máquinas usadas nas zonas mais densas do submundo astral, instrumentos de trabalho que utilizamos para agir sobre os corpos de meus irmãos, quando em tratamento, bem como intervenções mais materiais importantes, tornam-se realidade apenas mediante os recursos fluídicos de meus irmãos doadores, ainda que doem de modo inconsciente, e nem sequer saibam que estão participando. De fato, muitos de meus irmãos são verdadeiras baterias vivas, que emprestam essas energias mais ou menos materiais — em outras palavras, semimateriais —, cuja existência localiza-se entre o imponderável, o invisível e os fluidos mais ou menos densos da vida física.

Dentro dessa gama de fenômenos mais ou menos materiais, como parte de processos intricados, sob os quais se debruçam cientistas na Terra, há aqueles fenômenos gerados a partir do contato da matéria extrafísica com o elemento semimaterial do ectoplasma. Esse contato entre matérias de diferente densidade, lançando mão da que se origina da transfusão energética dos chamados vivos, é capaz de produzir efeitos dignos de ser classificados como milagres ou, por alguns, de ser tachados como impossíveis.

Além do espectro eletromagnético conhecido por meus irmãos cientistas, há outras ondas e radiações de frequências diferentes, fora do alcance dos olhos e dos instrumentos da ciência terrena. Resultam da união de energias geradas nas reuniões de ectoplasmia, isto é, nos momentos dedicados especialmente à manipulação de energias físicas em paralelo às de natureza astral e sideral que empregamos do lado de cá da vida. Dessa forma, a emissão e utilização de elementos como raios gama, infravermelhos e cósmicos, que são direcionados e captados por nossos instrumentos de tecnologia astral, só são possíveis mediante a cooperação entre os habitantes dos dois lados da vida. Isso, sem falar na coagulação da luz sideral ou da luz astral, na materialização ou semimaterialização de instrumentos, medicamentos e outros recursos da ciência do espírito.

Durante a ectoplasmia, a fim de intervir e tratar o campo imponderável do perispírito, bem como o duplo etérico, precisamos nos utilizar das partículas de raios cósmicos, as quais são manipuladas por nossas mentes em interação de forças com o ectoplasma cedido pelos médiuns. Tais partículas, que se deslocam em velocidade próxima à da luz em pleno espaço sideral, são capturadas, por ora, mediante a união de três elementos: nossa tecnologia, nossa força mental e o recurso gerado por meus irmãos na doação de ectoplasma. Ao colidir com os núcleos enfermiços, o produto de tal união é capaz de desmaterializá-los, além de "queimar" patologias presentes no corpo espiritual, advindas de vivências nos quistos de dor e sofrimento de regiões baixíssimas do submundo astral, que se acham incrustadas nas células perispirituais. Sem o concurso dos fluidos ofertados por meus irmãos, isso seria impossível, de forma que dependemos uns dos outros para nos aproximarmos ao máximo de um tratamento eficaz de certas enfermidades que assolam a humanidade.

Para produzir certas partículas e certos efeitos curadores, psíquicos ou fenomênicos de determinada natureza, que sejam úteis à intervenção na esfera morfogenética dos corpos perispiritual e etérico, é necessário um tipo especial de câmara ou laboratório com o máximo de isolamento, em caráter permanente. É o que meus irmãos denominam de câmara de materialização, na qual um instrumento vivo — o médium ectoplasta — prontifica-se a ser o gerador quântico principal dos elementos de que carecemos, a fim de fazer a transposição entre mundos. Poderíamos dizer que a câmara de materialização funciona como um portal entre dimensões, através do qual os seres dos dois mundos interagem, e mediante o qual podemos transpor os limites que separam dimensões divergentes e nos fazer temporariamente visíveis e tangíveis, sob determinadas condições. Também ali se realizam experiências, materializam-se recursos próprios da ciência astral e são trazidos instrumentos e medicamentos a serem empregados em meus irmãos, radicados temporariamente no mundo das formas.

Toda vez que há a transposição de uma dimensão à outra, um salto quântico entre universos diferentes, ocorrem fenômenos elétricos, magnéticos, luminosos e até mesmo sonoros, próprios do fenômeno em andamento. Estes são facilmente percebidos por aqueles mais próximos, que participam das experiências ectoplásmicas realizadas no laboratório das câmaras de materialização. Muitas vezes, precisamos entrar e sair dessa câmara, cuja estrutura principal se localiza numa zona intermediária entre os dois mundos. Esse ir e vir do espírito materializado é necessário para trazer, manipular e até dar corpo, na dimensão física, a elementos que, por sua vez, devem ser criados, mantidos e operados no mundo extrafísico, num universo diferente daquele onde vivem e transitam meus irmãos encarnados.

Geralmente, outro laboratório, situado em nossa dimensão, é acoplado vibratoriamente à câmara de materialização, com instrumentos ultrassensíveis. Essa é a razão pela qual, do lado de meus irmãos, a câmara de materialização ou laboratório de experiências extrafísicas precisa ser poupada de influências externas, conservada com o cuidado devido a um lugar onde se manipulam energias poderosas. Do lado de cá, deve ser preservada a ponto de não ser possível interferência de qualquer espécie, pois ali existe a conexão intermundos ou o portal de transferências energéticas das dimensões ocultas ao mundo físico. Por isso mesmo, o acesso a esse precioso ambiente do mundo invisível é meticulosa e rigorosamente protegido por guardiões especialistas, a fim de evitar a intromissão não apenas de entidades em desequilíbrio, mas também de energias prejudiciais e desnecessárias às experiências ali em andamento. A vigilância de guardiões especializados é crucial, uma vez que entidades da oposição, voltadas a interesses escusos, têm amplo interesse em se apoderar desse valioso portal entre dimensões para a consecução de objetivos contrários à política do bem.

Evidentemente, todos os cientistas da alma ou médiuns envolvidos com tais experiências extrafísicas também devem ficar atentos consigo próprios, a fim de se preservar e não servir de ponte entre os seres da escuridão e esse ambiente sagrado, reservatório de energias imponderáveis da natureza sideral.

As ectoplasmias são, portanto, experiências científicas de alto padrão técnico e tecnológico, cujos trabalhadores deste lado de cá da vida são peritos em manipulação energética hiperdimensional. Materializar — quer sejam espíritos, quer sejam objetos, instrumentos, medicamentos, raios, ondas ou radiações — significa muito mais do que uma experiência religiosa. Acima de tudo, é considerado, pelas consciências de nossa dimensão, como um verdadeiro experimento da ciência sideral, o qual se reveste do mais precioso sentido de dignidade e respeito perante a humanidade e as pessoas envolvidas diretamente neste trabalho. Por isso mesmo, um cientista do espírito, ao penetrar esse ambiente sagrado, onde está em evidência a ciência sideral, o faz com imenso respeito e uma quase veneração. Afinal, sabe que o que ali se realiza é fruto de extrema dedicação e enfrenta dificuldades severas, ainda desconhecidas por meus irmãos do mundo físico, portanto valoriza as energias geradas nesse processo de parceria entre dois mundos tão diferentes e, ao mesmo tempo, com inúmeras semelhanças.

Por todos esses motivos, percebe-se por que não são comuns reuniões desse caráter. Tanto os recursos que podem servir de combustível ou de base para o funcionamento daquele portal entre as dimensões são escassos, quanto essa tecnologia não é de domínio geral, mesmo entre nós, espíritos de nossa dimensão.

O cuidado e o respeito que meus irmãos devotam aos ambientes onde são manipuladas tais energias devem ser o resultado não de um sentimento religioso, mas do entendimento de alguém que estuda a ciência do Invisível, de um cientista diante de um laboratório de experiências inigualáveis. Semelhante oportunidade, por si só, representa uma chance única de transição entre um universo e outro, um mundo e outro, no que concerne à solidificação e à corporificação, dentro do espectro visível a meus irmãos, dos elementos existentes do lado de cá da delicada película psíquica que separa as dimensões. Esse trabalho gera um sentimento de respeito e, ao mesmo tempo, de gratidão por fazer parte de um experimento científico de tal monta e de tal proporção e complexidade. Note-se que nenhum dos cientistas do mundo físico pode reproduzi-lo à vontade, mas somente àqueles que têm a coragem de interagir com forças, energias, habitantes e tecnologias de outro mundo é dado experimentar e sentir a santidade do momento e do lugar onde tais forças são manipuladas.

Como se pode ver, o trabalho dos Imortais não pode ser realizado sozinho, tanto quanto meus irmãos, sozinhos, não poderão exceder certos limites impostos pela precariedade de recursos do universo material. A parceria entre os dois mundos é vital para realizarmos um trabalho que traga benefícios significativos e acrescente algo de real e genuíno à vida de todos nós.

Quanto ao preparo dos participantes, a assepsia interna, mental, emocional e física é tão necessária como a um cientista comum é exigido preparar-se devidamente, por exemplo, para conduzir uma bateria de testes clínicos e biológicos. Devido à delicadeza dos instrumentos utilizados do lado de cá da membrana dimensional que nos separam os mundos, é essencial o mínimo de zelo com pensamentos, sentimentos e emoções, além de uma ligação genuína entre os trabalhadores, pois que muitos instrumentos, ultrassensíveis, são capazes de captar estados mentais e emocionais e materializá-los no ambiente de meus irmãos. Também o inverso ocorre, isto é, os mesmos instrumentos são capazes de trazer para nosso plano as formas-pensamento dos encarnados, "materializando-as" do lado de cá, revestidas da matéria original de nossa dimensão. Em certos casos, isso significa imenso desperdício de energias de nossa parte e um trabalho quase material para eliminarmos os focos de pensamento e emoções que se agregam e formam camadas semimateriais de elementos daninhos às experiências realizadas em nossos laboratórios.

Considerando-se essa realidade, a preservação e manutenção de pensamentos e emoções organizados são, de fato, fundamentais ao desenvolvimento das tarefas nesse laboratório de forças siderais — muito mais importantes do que o preparo físico, que muitos acentuam como sendo de extrema necessidade.

Procuremos juntos um denominador comum, a fim de que possamos continuar a trazer de nossa dimensão, aos meus irmãos necessitados, os recursos que temos condições e permissão de conduzir, de modo a auxiliar a humanidade. Num processo de parceria entre habitantes das duas dimensões, continuemos, como cientistas da alma, a praticar a ciência do espírito. No futuro, será ela um recurso comum aos habitantes da Terra renovada, da nova humanidade, que emerge lentamente das cinzas de um mundo velho, rumo ao alvorecer de uma era nova que se desenha no horizonte planetário.

O ectoplasma nos processos de cura e tratamento

NOS PROCESSOS de ectoplasmia e de materialização com o objetivo de realizar tratamentos espirituais, há que considerar muitos fatores, entre eles a diversidade de faculdades mediúnicas ou de aptidões dos médiuns, bem como a condição do ambiente, a fim de favorecer os recursos da espiritualidade em benefício de meus irmãos.

Mesmo que no passado, em mais de uma ocasião, tenhamos, como espírito, dito certas coisas ou opinado em determinada direção, com o tempo, mediante observações mais acuradas e detalhadas, nosso ponto de vista tem se modificado substancialmente a respeito de alguns aspectos. À medida que o tempo passa, temos elementos novos à nossa disposição, nomeadamente o espectro crescente de recursos técnicos e médiuns com habilidades tão diversificadas quanto a fenomenologia produzida, fato que favoreceu a ampliação de nossa visão acerca de muitas situações. Tal mudança não se restringe apenas ao campo dos efeitos físicos e ectoplásmicos, embora neste momento seja este o foco de nossas observações, evidentemente destituídas da pretensão de colocar ponto final nas questões apresentadas.

No que se refere à doação de ectoplasma para os casos de materialização em geral, existe a necessidade de, no mínimo, um médium doador, através do qual os eflúvios, os fluidos e o ectoplasma exsudem em grande quantidade, com maior intensidade e qualidade. Porém, para a materialização de espíritos,[1] tanto quanto dos instrumentos a serem empregados nos efeitos de cura ou em cirurgias, mesmo dos aparelhos de diagnóstico energético da fisiologia do perispíri-

[1] "Por sua natureza e em seu estado normal, o perispírito é invisível e tem isto de comum com uma imensidade de fluidos que sabemos existir, sem que, entretanto, jamais os tenhamos visto. Mas, também, do mesmo modo que alguns desses fluidos, pode ele sofrer modifica-

to, há a necessidade de médiuns auxiliares. Um só médium não é suficiente para que se processem todos os fenômenos ou se obtenha um ectoplasma com tal consistência, a ponto de produzir a riqueza e a variedade de fenômenos que podem ou devem ocorrer durante uma reunião com o sentido de auxiliar os que sofrem.

Existem casos em que o espírito, valendo-se exclusivamente do ectoplasma do doador mais ostensivo, produz efeitos de materialização, embora não com todos os detalhes necessários. Um exemplo se dá quando da materialização parcial do corpo ectoplásmico, ainda que sem maiores recursos, que possibilitassem formar a garganta ectoplásmica, através da qual ocorre a voz direta. Na hipótese do ectoplasma de um único médium doador ser empregado nesse processo, algo necessariamente faltará, pois um só não consegue, por mais que disponha da habilidade de doação

ções que o tornem perceptível à vista, quer por meio de uma espécie de condensação, quer por meio de uma mudança na disposição de suas moléculas. Aparece-nos então sob uma forma vaporosa." (KARDEC. *O livro dos médiuns*... Op. cit. p. 163, item 105.)

mais ostensiva e intensa, produzir os fenômenos todos e, ao mesmo tempo, completos.

Geralmente, o que ocorre é que, enquanto uma parte do espírito se materializa e outras ainda permanecem desmaterializadas, o ectoplasma a ser empregado na parte faltante poderia ser usado para constituir o aparelho vocal através do qual se produz a voz direta. Se porventura há pouca energia e ectoplasma disponíveis, mesmo quando outros médiuns os doam, privilegia-se a materialização dos aparatos com os quais podemos tratar meus irmãos necessitados, em detrimento do fenômeno da voz direta.

Há de se dar a devida importância aos médiuns de apoio, doadores que contribuem com o médium mais ostensivo, ao qual meus irmãos chamam de médium principal. O ideal é que seja formado um grupo de pelo menos quinze sensitivos auxiliares, os quais devem encontrar um denominador comum, alinhando energias e emoções entre si e formando um grupo unido, com o mínimo de disparidade possível. Esse quadro é fundamental para que se chegue a um resultado de qualidade nas reuniões de tratamento, seja na materialização completa ou parcial da entidade. O grupo mediúnico precisa fazer o que estiver a seu alcance para estabelecer a harmonia maior entre seus integrantes. Do contrário, pode não haver qualidade suficiente nos trabalhos; podem até mesmo ocorrer interferências indesejáveis durante a reunião em que se dará o intercâmbio entre as duas dimensões da vida.

Ao ressaltar a necessidade de harmonia do grupo mediúnico, temos de tocar em um ponto delicado, que é o fato de haver personalidades desarmonizadoras, cujos fluidos podem interferir de maneira negativa no processo de tratamento, muito embora, em alguns casos, essas pessoas estejam imbuídas do desejo de ajudar. Suas energias é que são desarmônicas e suas emoções guardam a característica de ser desajustadas, de apresentar nítida instabilidade, não obstante possam ser pessoas de boa vontade. A presença desse tipo de personalidade em desajuste emocional ou mesmo mental deve ser evitada no ambiente onde se processa a reunião mediúnica de ectoplasmia, o que não implica dizer que essa pessoa não possa colaborar em outras tarefas igualmente dedicadas ao bem. O ambiente de uma reunião mediúnica onde se pretende trabalhar com a materialização, seja de espíritos, seja apenas de instrumentos para o tratamento de meus irmãos, precisa a todo custo ser preservado de interferências indesejáveis e nocivas.[2]

No que respeita ao volume de ectoplasma, importa observar que o montante obtido, tanto por meio do concurso do médium doador quanto dos médiuns auxiliares, não basta para que ocorra a materialização. Outros recursos, procedentes do mundo espiritual e de elementos da natureza do planeta, devem ser acrescidos ao ectoplasma, de modo a lhe conferir consistência e qualidade adequadas à consecução da finalidade proposta. Muitas vezes, quando o grupo ainda

[2] "Uma reunião [mediúnica ou *espírita*, na terminologia kardequiana] é um ser coletivo, cujas qualidades e propriedades são a resultante das de seus membros e formam como que um feixe. Ora, este feixe tanto mais força terá, quanto mais homogêneo for. (...) Toda reunião espírita deve, pois, tender para a maior homogeneidade possível. Está entendido que falamos das em que se deseja chegar a resultados sérios e verdadeiramente úteis. Se o que se quer é apenas obter comunicações, sejam es-

não está suficientemente maduro para a ocorrência do fenômeno de efeitos físicos, os espíritos costumam se ater ao processo de incorporação e, tão logo possível, materializam preferencialmente os instrumentos a serem usados, em vez de se materializarem por inteiro. Isso também se dá em outras circunstâncias: quando o ectoplasma não é suficiente, quando faltam recursos acessórios ou na hipótese de haver algum descompasso entre o grupo mediúnico e a equipe espiritual. Eis por que a ansiedade pelo fenômeno deve ser contida[3] e, ao mesmo tempo, os integrantes do grupo precisam estudar mais sobre esses temas. O aumento da quantidade de informações a respeito costuma se refletir numa contribuição mais intensa, qualitativa e consciente. Estudar os detalhes do fenômeno, em que circunstâncias e

tas quais forem, sem nenhuma atenção à qualidade dos que as deem, evidentemente desnecessárias se tornam todas essas precauções; mas, então, ninguém tem que se queixar da qualidade do produto." (Ibidem, p. 503-504, item 331.)

[3] "A primeira de todas [as condições] é que sejam sérias, na integral acepção da palavra." (Ibidem, p. 498, item 327.)

por quais razões acontecem se traduz num fator precioso, visando à qualidade dos trabalhos e à participação efetiva dos integrantes.

Muitos instrumentos materializados, não tendo consistência para permanecer no plano físico por muito tempo, exigem conservação em um ambiente adequado, a fim de que possam resistir o máximo de tempo com a tangibilidade necessária para serem tocados e utilizados por meus irmãos. No passado, em algumas reuniões experimentais com nossos amigos Peixotinho [1905–1966], Fábio Machado [1928–1985] e alguns outros médiuns e pesquisadores, meus irmãos realizavam testes e guardavam alguns instrumentos em recipientes plásticos, o que os mantinha por maior tempo. Contudo, é preciso retomar as pesquisas nesse campo, tanto quanto expandir as observações com vistas a obter respostas a dúvidas, pois serão de grande benefício para meus irmãos. Estudar as propriedades e a natureza dos instrumentos usados por nós, bem como a forma como são materializados, é algo de grande proveito para o grupo mediúnico, pois evita a formação de trabalhadores crédulos, sem base de conhecimentos e sem preparo para as investigações. Quanto mais estudo, mais qualidade.[4]

Outro tema delicado a ser discutido se relaciona às circunstâncias sob as quais meus irmãos poderão ou não participar de reuniões de tratamento, quando há uma cota maior de manipulação de ectoplasma. Nem sempre se podem admitir todos ao tratamento, logo de saída, em vista da situação íntima ou de processos de obsessão, subjugação ou contaminações energéticas severas. É preciso cautela ao admitir o ingresso de consulentes às reuniões de ectoplasmia e materialização. Não basta querer ajudar ou o candidato estar precisando de ajuda. Há que ser considerada a possível insalubridade mental e emocional desse nosso irmão, e o consequente prejuízo a que o ambiente mediúnico se exporia, com risco de contaminação.

[4] "A instrução espírita não abrange apenas o ensinamento moral que os Espíritos dão, mas também o estudo dos fatos. Incumbe-lhe a teoria de todos os fenômenos, a pesquisa das causas, a comprovação do que é possível e do que não o é; em suma, a observação de tudo o que possa contribuir para o avanço da ciência." (Ibidem, p. 499, item 328.)

Lembramos que o ambiente de reuniões de materialização é sobretudo um laboratório de experiências extrafísicas; como tal, deve ser preservado a todo custo de fluidos daninhos e contaminantes e de intrusões psíquicas e energéticas. Não é diferente do cuidado com a esterilização e as rigorosas práticas de higiene num bloco cirúrgico hospitalar, por exemplo. Rigor análogo deve ser observado, pertinente à esfera de ação em foco.

Assim sendo, muitos precisam ser submetidos à terapia desobsessiva, magnética, entre outras, dependendo do caso, antes de serem admitidos numa reunião de ectoplasmia. Em nenhuma hipótese é suficiente o consulente ser amigo ou conhecido de algum dos integrantes da reunião, ser um parente muito querido e necessitado. Em qualquer caso, tem de ser observada a ponderação, o bom senso e, sobretudo, a orientação dos benfeitores que respondem pelo andamento da reunião. Muita gente pode trazer imenso prejuízo antes de ser beneficiada.

É desnecessário enfatizar quanto é recomendável que se acalmem os ânimos de trabalhadores irmãos nossos que são mais movidos pela emoção e pelo sentimentalismo do que pela análise e pela razão. Quando dizemos que Deus colocou a cabeça acima do coração, estamos utilizando uma linguagem figurada, para alertar que é preciso pensar primeiro, antes de agir. Emocionar-se com o caso de alguém ou ser solidário com a dor alheia não significa que a pessoa já seja candidata a participar da reunião de materialização. Ajudar o outro e prejudicar a reunião ou aquele que ajuda não é caridade — mas falta de inteligência e bom senso.

Conhecemos diversos casos, pessoalmente, em que as reuniões foram suspensas ou mesmo deixaram de ocorrer devido ao excesso de sentimentalismo e emocionalismo de alguns, que admitiram à reunião pessoas não preparadas. Como resultado, os processos obsessivos de tais pessoas foram acentuados, e as energias dos médiuns, vampirizadas ao limite. Não era necessário que assim fosse. Uma reunião de ectoplasmia é excessivamente visada por entidades da oposição, pois sabem que ali, naquele ambiente, existem energias operantes que lhe interessam sobremaneira, a fim de realizarem seus planos sombrios e materializarem seus objetivos. Esse é apenas um dos motivos pelos quais se deve ter o máximo cuidado na admissão indiscriminada de pessoas neste tipo de reunião.[5]

O cuidado com situações semelhantes é essencial, principalmente quando o grupo mediúnico está em formação. Pessoas dadas ao emocionalismo e ao sentimentalismo, que vivem chorando em qualquer situação, que se condoem dos outros de maneira indiscriminada, sem usar a razão, tem de ser mais bem orientadas, já que, normalmente, podem causar estrago muito grande, caso o grupo se deixe levar por considerações desse viés. É fundamental manter o ambiente mediúnico ao abrigo de intrusões psíquicas indesejadas,[6] de personalidades intrusas, de

[5] "O objetivo de uma reunião séria deve consistir em afastar os Espíritos mentirosos. Incorreria em erro, se se supusesse ao abrigo deles, pelos seus fins e pela qualidade de seus médiuns." (Ibidem, p. 502, item 330.)

[6] "Sendo o recolhimento e a comunhão dos pensamentos as condições essenciais a toda reunião séria, fácil é de compreender-se que o número excessivo dos assistentes constitui uma das causas mais contrárias à

curiosos e, particularmente, de vampiros energéticos, que veem numa reunião assim um alvo para sua sede e ânsia de devoradores de energia.

Não fiquem meus irmãos esperando resultados imediatos, fenômenos miraculosos, efeitos retumbantes ou manifestações visuais e auditivas que lhes favoreçam o misticismo e a imaginação fértil. É melhor aguardar o amadurecimento de meus irmãos do que ter de enfrentar o fracasso logo no início das atividades, quando se poderiam obter resultados genuínos e de grande eficácia no momento oportuno.[7]

Em qualquer situação, lembrem-se meus irmãos de que o trabalho não pertence aos médiuns. E de que é aconselhável que cada um seja mudado de tarefa vez ou outra, ou com certa regularidade, evitando fixar-se mental e emocionalmente, acreditando que sua contribuição é imprescindí-

homogeneidade." (Ibidem, p. 504, item 332.)

[7] "Há ainda outro ponto não menos importante: o da regularidade das reuniões. (...) Ninguém suponha que esses Espíritos nada mais tenham que fazer, senão ouvir o que lhes queiramos dizer, ou perguntar." (Ibidem, p. 505, item 333.)

vel ou que o trabalho lhe pertence. Todos somos aprendizes e, como tais, vamos experimentando aqui e acolá, ora nesta tarefa, ora naquela, até que nos acertemos na caminhada. Ninguém é insubstituível, neste estágio em que nos encontramos.[8]

É bom sempre recordar que o ectoplasma doado por meus irmãos pode ser influenciado pela qualidade dos pensamentos e emoções das pessoas presentes. Por isso mesmo, há que ter o cuidado necessário para que as energias e fluidos doados aos que sofrem possam ser da melhor qualidade possível. Por outro lado, o ectoplasma, em dada medida, retorna ao doador com o produto dos pensamentos e emoções, dos fluidos a que foi submetido durante os processos de tratamento nas materializações. Assim, todos os participantes, diretos e indiretos, de tais reuniões poderão ser mais ou menos afetados ao final das tarefas. Mais um motivo pelo qual são

[8] "As reuniões de estudo são, além disso, de imensa utilidade para os médiuns de manifestações inteligentes, para aqueles, sobretudo, que seriamente desejam aperfeiçoar-se e que a elas não comparecerem dominados por tola presunção de infalibilidade." (Ibidem, p. 500, item 329.)

necessários cuidados especiais quanto à manutenção do equilíbrio, da disciplina e da sustentação de um ambiente saudável, equilibrado e imunizado energeticamente.

Reiteramos: certa parcela do fluido nervoso, após a doação, regressa aos médiuns doadores. Esse fato nos leva a relembrar, uma vez mais, a necessidade de sustentar pensamentos organizados, de manter emoções estáveis e sadias, tanto quanto possível. Embora o desejo de ajudar, é necessário avaliar se o grupo está em condições de auxiliar ou precisa, ainda, harmonizar-se o suficiente para ser capaz de prover um auxílio mais intenso e curador.

Quando ocorre o processo de materialização, de nossa parte, atraímos os elementos ectoplásmicos e os fluidos doados, que se acoplam ou se justapõem a cada célula de nosso corpo perispiritual. Além desses elementos cedidos por meus irmãos, ajuntamos outros, dispersos na atmosfera do planeta, visando à formação do corpo semifísico.[9] Nesse momento, ficamos também,

[9] Cf. Ibidem, p. 106, item 74, perguntas 13 e 14 (ao espírito São Luís).

em certa medida, sujeitos a determinadas leis da dimensão onde nos encontramos temporariamente corporificados. A claridade, a luz branca em especial, pode ser imensamente prejudicial nesse processo de acoplamento ou de corporificação. Mas não pensem meus irmãos que a luz vermelha não seja prejudicial ao processo. É que a luz vermelha e em baixa intensidade afeta em menor grau o acoplamento vibratório do ectoplasma aos corpos perispirituais ou aos elementos etéricos dos instrumentos de tratamento espiritual.

Se meus irmãos estudarem um pouco mais, verão que, em regra, mesmo no plano físico, muitos fenômenos ocorrem na completa escuridão. Por exemplo, a formação do feto, que não deixa de ser uma corporificação, uma materialização em longo prazo, exige o ambiente escuro do útero materno, precisa de energias, fluidos e até mesmo de emoções e sentimentos dos pais a fim de se formar, para depois, então, interagir com o mundo exterior. Assim, considerando os efeitos da luz sobre o processo de ectoplasmia, o ideal seria uma luz semelhante à luz do luar, algo mais suave e sem emissão de raios diretos; uma luminosidade luarizada, suave, indireta, discreta. Se isso não for possível, o mais aproximado que se pode obter é uma luz o mais suave possível, de luminosidade vermelha, preferencialmente já na vizinhança vibratória com o infravermelho, embora alguns fenômenos só possam ser produzidos em completa escuridão.

Há outro ponto interessante a ser observado por aqueles que se dedicam ao estudo e às pesquisas de caráter científico. Parte do médium doador de ectoplasma pode, em alguns casos, ser temporariamente desmaterializada, a ponto de, no lugar daquela parte do corpo, restar um aparente vazio de matéria, a qual é transferida à parte materializada do espírito ou de objetos necessários à reunião. Entretanto, somente com o cuidado necessário e a permissão dos orientadores da tarefa é que se pode fazer a observação mais de perto, para não interferir na saúde do médium, que, durante o processo, fica extremamente sensível e permeável.

Mesmo numa reunião aparentemente organizada e harmônica, não é incomum ao médium que doa em maior intensidade, na cabine de materialização, ressentir-se após a reunião. O esforço despendido demanda dele descanso e recuperação, até mesmo junto à natureza, usufruindo fartamente de água e ar puros, de modo que seus fluidos possam se reorganizar, seu duplo etérico se reabastecer, até repor a cota de ectoplasma doado. Nos casos em que as células do médium se desmaterializam para que o conteúdo ectoplásmico possa ser utilizado nos processos de tratamento, a constituição física do doador precisa de algum tempo até ser reenergizada.[10]

Devido a todo o delicado processo descrito e em virtude de outros fatores mais, os cuidados com as questões energéticas, emocionais, espirituais e a manutenção da maior qualidade em relação às questões íntimas são aspectos mui-

[10] "Quem deseja obter fenômeno desta ordem [de transporte] precisa ter consigo médiuns a que chamarei — *sensitivos*, isto é, dotados, no mais alto grau, das faculdades mediúnicas de expansão e de penetrabilidade, porque o sistema nervoso facilmente excitável de tais médiuns lhes permite, por meio de certas vibrações, projetar abundantemente, em torno de si, o fluido animalizado que lhes é próprio." (Ibidem, p. 136, item 98.)

to sérios, a que se deve dar a devida importância e merecer o zelo da parte de meus irmãos que atuam nesta área.

O profissional de medicina que realiza uma cirurgia deve tomar os devidos cuidados com a higiene e preparar-se até emocionalmente, a fim de enfrentar horas e horas num processo cirúrgico delicadíssimo. De seus assistentes, por sua vez, é requerido que se mantenham em estreita sintonia com o trabalho que o cirurgião realizará, também atentando para a higiene e os demais preparos necessários, tomando o máximo cuidado com instrumentos e aparatos utilizados durante o processo. O mesmo deve ocorrer nos trabalhos de tratamento, cura, materialização ou ectoplasmia. Neste caso, em particular, o preparo mais importante é de ordem íntima, além, é claro, dos naturais cuidados antes e durante o procedimento de transferência energética, transporte ou materialização de recursos, na doação das energias abençoadas em benefício daqueles meus irmãos que sofrem.

O zelo com o médium doador não deve ser no sentido de lhe oferecer maior atenção ou cuidados especiais, não dispensados aos outros, mas objetivam que se sinta amparado e seguro, uma vez que sua delicada estrutura psicossomática e psicofísica é profundamente sensível e estará bastante exposta.

Quanto à equipe responsável pelo andamento das tarefas, deve estar ciente de que todos são responsáveis pelo sucesso ou insucesso dos resultados, tanto quanto da manutenção energética e mental do ambiente, que, para nós, representa um recinto sagrado, onde se operam energias, pensamentos e elementos em função e em benefício da vida. Enfim, o ambiente em que ocorrem os tratamentos de meus irmãos é um laboratório da própria vida. Essa constatação é suficiente para fazer brotar o respeito devido e as responsabilidades para com a tarefa abençoada que nos foi confiada.

Um pensamento de elevado amigo espiritual define de maneira apropriada o significado de um ambiente mediúnico: "Aqui filhos de Deus estudam, aprendem e ensinam ciências. Mentalize eficácia, respeito e disciplina. Este lugar é um templo da vida".

O médium de cura e sua sexualidade

UM TEMA POR demais complexo e sensível, mas que merece ser abordado, é a sexualidade do médium, principalmente os médiuns de cura, materialização e outras faculdades mediúnicas cujo exercício movimenta grandes cotas de fluido vital.

O sexo é tradicionalmente considerado, por influência religiosa, como algo impuro, que não pode ser abordado de maneira aberta, sem rodeios, em virtude dos preconceitos e tabus que envolvem o tema.

Como já tem sido dito, inclusive por autores espíritas consagrados, sexo é vida, é energia, e a relação sexual representa forte transfusão vital, de altíssima potência. Não obstante, normalmente a relação sexual é tratada como algo a se evitar antes de determinadas reuniões de caráter mediúnico, assim como a ingestão de carne vermelha e outros elementos. Algo semelhante se verifica desde os templos iniciáticos da Antiguidade, onde a questão sexual permeava quase tudo referente às tarefas do iniciado. Havia certo mistério em torno do tema e já predominava a falta de compreensão e de discussão aberta. Entretanto, a simples proibição, sem os devidos esclarecimentos, não resolve a situação, ao menos para aquelas mentes mais inquietas, dadas a questionamento, estudo e pesquisa. Proibir por proibir nem sempre é sensato, sem que a pessoa tenha consciência daquilo que faz e por que o faz ou deixa de fazer.

Por isso, os aspectos concernentes ao médium e sua sexualidade, principalmente quando ele se dedica de modo regular à doação de uma cota maior de ectoplasma, constituem um assunto que merece ser abordado de maneira clara.

Antes, porém, vale ressalvar que, ao mencionarmos a doação de ectoplasma, não nos referimos àqueles que imaginam ser doadores, mas cuja atuação se limita a abrir e fechar a boca, no ato de bocejar. Trata-se de uma conclusão absolutamente fantasiosa, que na maioria das vezes reflete pura falta de educação básica e de boas maneiras, ou misticismo exacerbado por crenças infundadas, que denotam desconhecimento do que significa doação de fluidos, no contexto do magnetismo animal. Doar ectoplasma é muito mais do que fazer qualquer gesto.

Queremos nos concentrar naqueles que trabalham em reuniões de ectoplasmia e materialização, especificamente, cuidando de não generalizar nossas observações. Nem sequer a doação eventual, natural e costumeira, é objeto de nossas ponderações, até porque se dá em quantidade muito menor, como ocorre nas reuniões de desobsessão de meus irmãos espiritistas, por exemplo.

Em linhas gerais, a energia empregada na função sexual é da mesma natureza da substância conhecida por meus irmãos como ectoplasma. Isto é, a energia empregada na função sexual é semelhante àquela catalogada pela medicina chinesa como energia *yang*, positiva, masculina, ativa. Dissemos *da mesma natureza*, e não que sejam uma e a mesma coisa — e assim falamos apenas para efeito de compreensão da parte de meus irmãos.

É muitíssimo comum que os médiuns doadores de ectoplasma mais ostensivos que se dedicam a reuniões de materialização disponham desse tipo de energia de modo mais acentuado. Isso ocorre devido ao preparo ao qual foram submetidos no período entre vidas, na erraticidade, visando precisamente potencializar a capacidade de doação energética e ectoplásmica. Durante a experiência reencarnatória, as células vibráteis do perispírito do médium de materialização recebem um aumento vibratório e um incremento energético, que tem por alvo sobretudo o duplo etérico — então em formação —, pois nele reside, em larga proporção, o fluido vital, composto pelo ectoplasma e por outros elementos ainda não identificados pelos meus irmãos, mas que têm papel de destaque no processo de doação das energias necessárias ao tratamento por meio da ectoplasmia. Convém reiterar que nos atemos ao tipo de reunião mediúnica onde haja doação intensa de ectoplasma, ou seja, as reuniões de materialização, ectoplasmia e tratamento de saúde em que o espírito, mesmo incorporado, faz cirurgias espirituais com ou sem o uso de instrumentos.

É natural que o médium doador, o ectoplasta, detenha uma cota mais intensa desse fluido e que, durante a vida social, exprima e libere essa energia da forma como lhe é peculiar. Em outras palavras, é muito comum que tenha a sexualidade mais exacerbada e os desejos sexuais relativamente mais pujantes que a maioria das pessoas. Isso não é sintoma de desequilíbrio do médium. Sexualidade ativa é diferente de desequilíbrio e promiscuidade. Somente pessoas sem preparo ou estudo, afeitas a conceitos estanques, são incapazes de distinguir uma coisa da outra.

A função do chacra básico — principalmente, mas não só, pois há aspectos ligados à própria característica da energia *yang* —, quando não utilizadas as energias dinamizadas no duplo etérico, acaba por acentuar a libido, causando uma necessidade quase fisiológica e também mental de ter mais relações sexuais, com frequência maior do que a média das pessoas costuma aceitar como apropriado, saudável ou equilibrado. Porém, não é a quantidade de relações sexuais que determina se a pessoa é ou não desequilibrada nesta área. Aliás, as palavras *equilíbrio* e *desequilíbrio* poderiam muito bem ser evitadas ou eliminadas do vocabulário de meus irmãos, sobretudo ao abordar o assunto em pauta, pois que ainda não conhecemos uma pessoa que realmente reflita esse pretendido equilíbrio tão exaltado nos meios espiritualistas em geral.

Muita gente, ao não praticar o ato sexual — evitando-o, na pretensão de sutilizar ou atingir um nível melhor de espiritualidade —, está, com tal comportamento, desarmonizando as funções para as quais foram criadas as energias sexuais. Privar-se do sexo não eleva ninguém, tampouco confere espiritualidade a nenhum ser humano, muito menos facilita a ligação com energias, espíritos e formas-pensamento superiores. Essa é uma crença absolutamente incorreta e amplamente difundida entre pessoas místicas, que rejeitam o estudo e a abordagem das questões espirituais segundo uma visão mais analítica, científica. Portanto, apresentar o apetite sexual mais acentuado, a necessidade maior de fazer sexo, é um fato que não deve ser tomado como sintoma, de forma nenhuma, de que o médium esteja desequilibrado ou mesmo mal assistido espiritualmente. Significa, apenas, que tem uma cota maior de fluido vital e que, provavelmente, está com acúmulo energético ou ectoplásmico. Assim, é muito comum observar médiuns doadores de ectoplasma que tenham a sexualidade mais ativa, tida por outros como exagerada. Geralmente, aqueles que assim a consideram são eles próprios malresolvidos quanto à questão sexual, ou não conseguem, por qualquer motivo, ter uma vida sexual saudável.

O ideal é que o médium doador de ectoplasma, de fluidos magnéticos, de forma geral, tenha atividade sexual regular, desse modo evitando que seja vampirizado, em desdobramento tanto quanto em vigília, por entidades da oposição interessadas naquele potencial. Energia parada ou estagnada normalmente é mais prejudicial ou oferece mais riscos do que se estiver em movimento. Com nossas observações, não queremos compactuar com situações como desrespeito, permissividade ou irresponsabilidade, as quais na verdade não dizem respeito à sexualidade do médium, mas a comportamentos de ordem mais abrangente.

Há que aprofundar sobre o assunto, a fim de afastar crenças e imposições absolutamente desnecessárias e que produzam insatisfação e infelicidade. O médium é humano, como qualquer outra pessoa, porém, em alguns casos, seu tônus sexual pode ser mais intenso, devido mesmo à cota de energia e ao acúmulo de ectoplasma em seu corpo etérico. Estudar mais sobre as funções do duplo etérico, portanto, pode lançar mais luz sobre esse aspecto.

A sexualidade do médium, seja ele de orientação heterossexual, homossexual ou bissexual, não interfere nos processos mediúnicos da maneira como querem alguns irmãos espíritas e até mesmo alguns espíritos, que, no passado, tiveram uma ou várias encarnações como religiosos ou clérigos, de sorte que ainda trazem no psiquismo questões malresolvidas nessa área. Os médiuns precisam se libertar de atitudes castradoras, de crenças proibitivas e da ilusão de que, se evitarem o ato sexual, terão condição mais favorável para doar energia e ectoplasma. Trata-se de uma crença forjada no passado religioso, reflexo de ideias admitidas como elevadas a respeito de algo tão natural quanto são naturais os processos de respiração, de alimentação e outros mais.

As coisas só são impuras para quem as considera impuras. Ter uma relação sexual antes de uma reunião mediúnica não impede ninguém de participar dela. Evitar o sexo nos momentos ou dias que antecedem uma reunião mediúnica comum em nada favorece o transe, o exercício mediúnico, tampouco o andamento da reunião. Ao contrário, é melhor o médium participar da reunião em paz consigo mesmo — havendo experimentado uma transferência energética, de ordem sexual, com quem tem intimidade e afinidade — do que ir à reunião com o pensamento cheio de imagens referentes a sexo, sem realizá-lo, ou, então, oferecer campo para ser vampirizado por espíritos que vivem procurando esse tipo de energia para se locupletarem.

Empregar a energia sexual, com o devido respeito, é mais útil do que se preservar ilusoriamente, na pretensão de iluminar-se ou sutilizar as próprias energias. A única forma de sutilização das energias que conhecemos é a evolução, no decorrer dos séculos. Nesse particular, em termos evolutivos, a sexualidade será o último item que o espírito aprenderá a sutilizar, nos milênios de aperfeiçoamento que nos esperam pela eternidade. Portanto, pretender adiantar um processo que só ocorrerá daqui há milênios é o mesmo que querer ser mais santo do que Deus espera — algo impossível. Quem represa energias estará sujeito aos efeitos catastróficos dessa atitude quando as represas da alma não mais aguentarem e forem rompidas, despejando o conteúdo de forma inadequada e desnecessária, com efeitos muitas vezes destruidores.

Por outro lado, ao se examinar a participação em reuniões de materialização, especificamente, é forçoso analisar o aspecto da prática sexual em nível mais profundo. Como sexo é intercâmbio de energias, o sensitivo deve ficar particularmente atento a quem elege como parceiro íntimo. Numa transfusão desse gênero, doa-se tanto quanto se recebe, e esse caudal de energias é determinante no caso dos médiuns que integram equipes de materialização e ectoplasmia. A qualidade das energias doadas ou absorvidas pode interferir em razoável medida durante o processo de transferência de ectoplasma. Esse é o cuidado que se deve ter quanto ao sexo em relação às reuniões desse gênero.

No passado, quando ocorreram memoráveis materializações, não havia nenhuma restrição quanto à prática do sexo antes de tais reuniões, nem tampouco no que se referia à ingestão de carne vermelha.

Já pelos idos de 1949 e 1950, e com o passar dos anos, os próprios ectoplastas perceberam que, quando se privavam do ato sexual certo tempo antes daquelas reuniões, eles se sentiam mais abastecidos e enfrentavam menor desgaste. Mais tarde, chegou-se a outra constatação. Ao evitar o consumo de carne vermelha, sentiam-se mais refeitos e menos desgastados ainda, após as reuniões; sua recuperação energética também era maior. Algumas outras observações se fizeram ao longo do tempo, em uma e outra reunião, e meus irmãos médiuns e pesquisadores chegaram à conclusão de que, caso o médium se abstivesse da prática sexual nas 48 horas anteriores à materialização, uma cota maior de ectoplasma ficava retida nas células do duplo etérico; portanto, mais elementos restavam à disposição do trabalho.

Embora o ato sexual em si não impeça a participação na reunião de materialização, abster-se dele num período anterior de fato economiza fluido vital; além disso, a mente fica mais liberada de formas-pensamento que naturalmente estão associadas ao sexo. A propósito, tais formas-pensamento não constituem algo daninho, ameaçador ou que favoreça a abertura de portas a processos obsessivos, como muitos pensam; afinal, fazem parte do comportamento do ser humano, no atual estágio em que se encontra. Entretanto, no caso de reuniões de ectoplasmia — para a maior parte das pessoas, não todas, e segundo observações de pesquisadores dos dois lados da vida —, a abstinência sexual por pelo menos 48 horas anteriores a tais reuniões favorece a doação de uma cota maior de fluidos. Além disso, interfere na qualidade deles, pois libera a mente das formas-pensamento naturais e partícipes da prática sexual.

Vale observar que aproximadamente 70% do ectoplasma usado numa reunião de materialização é retirado do médium que doa diretamente na cabine; cerca de 30%, dos médiuns de apoio ou auxiliares. Ao lado disso, é certo que nem todo o ectoplasma extraído retorna aos médiuns, pois pode estar contaminado pelos fluidos ambientes. Considerando esses fatores, evitar a carne vermelha e as relações sexuais no período anterior à reunião de tratamento espiritual, seja ela de ectoplasmia ou do tipo em que o espírito incorpora no médium para os atendimentos, pode ser bastante útil à manutenção das energias e do fator vibratório, bem como à doação de uma cota mais intensa de ectoplasma.

Não obstante os efeitos benéficos da abstenção sexual quanto à doação do ectoplasma, evitando-se até mesmo formas-pensamento emitidas pelo médium que pudessem encontrar ressonância nos assistidos, é importante examinar a questão sob outro ângulo. E no caso em que a abstinência de carne vermelha e sexo prejudica o médium e a qualidade de seus pensamentos durante o processo de tratamento espiritual? Uma vez que pessoas diferentes têm características diferentes, a abstenção do sexo pode acarretar, para alguns, o aumento do volume e da consistência das formas-pensamento que circundam em torno da aura, alimentadas não pela prática, mas justamente pelo desejo sexual, o que é perfeitamente natural e nada tem de condenável ou desequilibrado. Como se vê, é fundamental respeitar a natureza de cada um.

Hoje, passados tantos anos em trabalhos dessa espécie, eu, pessoalmente, aconselho aos doadores não a abstenção de ambos os itens mencionados, como regra absoluta e inamovível, mas apenas na hipótese de sentirem-se bem, sem prejuízo da qualidade de vida de meus irmãos, mas visando principalmente à qualidade de nossas reuniões. Hoje, mais do que antes, acredito, como espírito, que a proibição é mais prejudicial do que o uso ou a abstinência conscientes. Ou seja, se for possível se abster de carne vermelha e sexo antes da reunião, ótimo; se não, tenhamos em mente que o ser humano é mais importante do que as regras. Em resumo, não defendemos a proibição, mas a compreensão dos fatos e a consciência acerca deles e de suas consequências.

E vale repetir: a referida abstinência nada tem a ver com evolução, com elevação espiritual ou sutilização de energias. As observações feitas aqui são apenas no intuito de preservar uma cota maior de energia do médium e, em alguns casos, até mesmo da pessoa a ser tratada. Todavia, caso o médium ou os consulentes não tenham guardado abstinência de sexo e de carne vermelha, não se inviabiliza de modo algum o tratamento espiritual. Nem sempre o espírito precisa se materializar para efetuar um procedimento de tratamento; caso não ocorra a materialização, pode-se optar pela incorporação, algo perfeitamente em uso nos dias atuais. Em todos os casos, deve prevalecer o bom senso, e não a radicalização.

Outro ponto a ser levado em conta no que tange à doação de ectoplasma para cura ou tratamento de meus irmãos é, também, bastante delicado. Diz respeito à utilização de tabaco e bebidas alcoólicas. Em diversos aspectos, o fumo é mais prejudicial do que o uso consciente e moderado do álcool, embora nunca se deva participar de reuniões de ectoplasmia ou de tratamento espiritual sob o efeito deste. Pelo menos uma semana antes da reunião a pessoa precisa se privar desse tipo de bebida, mas com o fumo a situação se passa de maneira diferente.

O médium doador que tem por hábito fumar deveria primeiro aprender a se domar, a se controlar, evitando o fumo a todo custo. O tabagismo não somente prejudica gravemente a saúde da pessoa, em qualquer quantidade, como também envenena o duplo etérico, e faz com que o ectoplasma do fumante apresente, em sua constituição, elementos completamente desnecessários, além de prejudiciais ao processo de tratamento a ser realizado. É como se o ectoplasma também se envenenasse com as toxinas do cigarro.

Embora não queira radicalizar, pergunto aos meus irmãos: como pretender ajudar alguém doando energias, fluidos, ectoplasma, se o próprio doador traz tais elementos comprometidos ou contaminados? Pretender que os espíritos façam uma limpeza energética no doador fumante seria um dos maiores absurdos em termos de crenças, que precisam ser revistas o quanto antes.

Geralmente, quando o médium pretende doar energias, seja através do passe, da doação direta e intensa de ectoplasma, e, mesmo sendo fumante, resolve participar de tais procedimentos de ordem fluídica, energética e espiritual, nós o isolamos vibratoriamente. Criamos uma espécie de redoma que impede que seus fluidos possam danificar ou afetar o processo de tratamento a ser efetuado. Assim, acabamos por lançar mão dos fluidos dos chamados médiuns assistentes ou de apoio, em vez das energias daquele médium que se julga imprescindível ao trabalho, que imagina que suas atitudes não interferem tanto assim. Mas, para isso, gastamos imensa cota de energia, e até mesmo de ectoplasma, a fim de fazer o isolamento do médium que tem suas reservas fluídicas comprometidas e contaminadas pelos venenos do tabaco. Evidentemente, essa cota empregada para proteger o receptor do magnetismo poderia ser utilizada para ajudar outras pessoas.

As considerações a respeito do assunto são por demais extensas para esgotarmos o assunto neste texto. De qualquer forma, peço aos meus irmãos a caridade de tomá-las não como uma verdade absoluta, nem como uma imposição de nossa parte. Que sejam vistas como a contribuição de um espírito que é apenas um estudioso dessas questões e que, nas últimas cinco ou seis décadas, tem se dedicado a compreender melhor não só as implicações morais, as atitudes e os comportamentos de meus irmãos nos processos de materialização e tratamento espiritual, quanto se esforçado para compreender a condição humana. Sei que, no atual estágio em que nos encontramos, ainda não estamos preparados para fazer tudo o que queremos, mesmo para auxiliar os outros, bem como temos pela frente a eternidade para melhorar. Sei, também, que nem Deus nem os bons espíritos esperam de ninguém aquilo que a pessoa ainda não é capaz de oferecer. Dessa forma, estas considerações, que não são somente minhas, mas de nossa equipe de trabalhadores do Invisível, são trazidas a meus irmãos sobretudo para estimulá-los a continuar suas pesquisas e melhorar, ao máximo, a qualidade das tarefas às quais se dedicam, em nome do eterno bem.

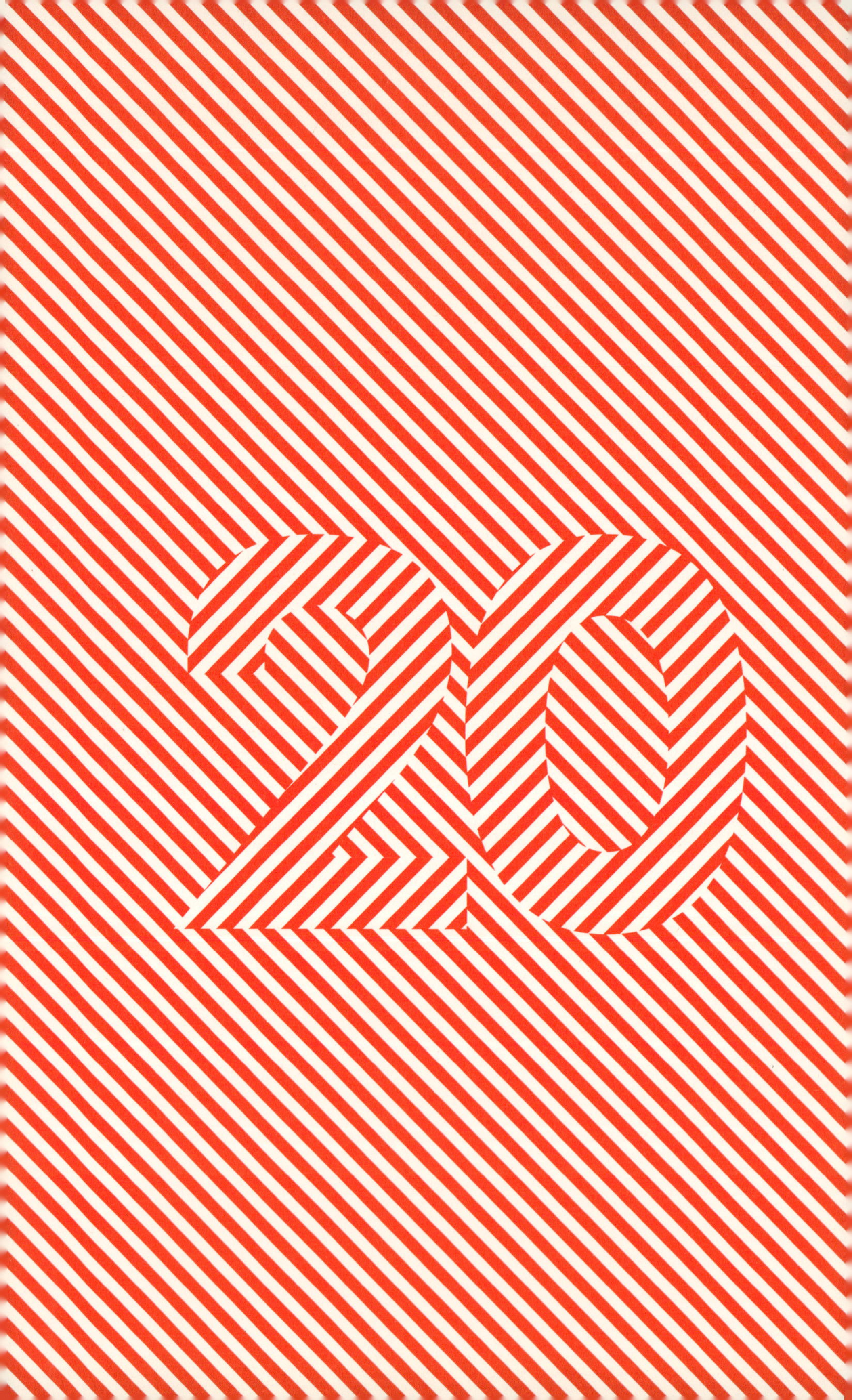

O lado médium do médico

TODOS SÃO MÉDIUNS, em algum nível.[1] Considerando essa afirmativa de Allan Kardec, o ilustre codificador do espiritismo, podemos entender o papel do médico junto aos pacientes como um instrumento de forças invisíveis. Não diremos que seja de forças comprometidas com

[1] "Todo aquele que sente, num grau qualquer, a influência dos Espíritos é, por esse fato, médium. Essa faculdade é inerente ao homem; não constitui, portanto, um privilégio exclusivo. Por isso mesmo, raras são as pessoas que dela não possuam alguns rudimentos. *Pode, pois, dizer-se que todos são, mais ou menos, médiuns.* Todavia, usualmente, assim só se qualificam aqueles em quem a faculdade mediúnica se mostra bem caracterizada e se traduz por efeitos patentes, de certa intensidade, o que então depende de uma organização mais ou menos sensitiva" (KARDEC. *O livro dos médiuns*... Op. cit. p. 234, item 159. Grifo nosso).

o bem, necessariamente, pois, ao se observar a atuação dos espíritos sobre os seres humanos, compreendemos que a maioria dos espíritos que estagiam na Terra encontram-se em situação elementar de aprendizado e ignorância das leis espirituais. Portanto, uma vez que são os espíritos que dirigem os homens em suas ações diárias[2] e em todos os departamentos da vida, todos são mais ou menos influenciados e recebem pensamentos, emoções, sensações e intuições de seres do Invisível — tanto dos que estão em oposição ao bem quanto daqueles que não se comprometem nem com um lado nem com outro, ou ao menos julgam agir assim. Sob esse ponto de vista, é bom entender que os profissionais da medicina também são humanos, embora haja quem pense o contrário. São seres que recebem e percebem a influência superior ou inferior em algu-

[2] A afirmativa baseia-se na seguinte pergunta de Kardec, respondida pelos espíritos: "Influem os Espíritos em nossos pensamentos e em nossos atos? 'Muito mais do que imaginais. Influem a tal ponto que, de ordinário, são eles que vos dirigem'" (KARDEC. *O livro dos espíritos*. Op. cit. p. 305-306, item 459).

ma medida, dependendo da postura íntima, de suas atitudes perante a vida.

Quando falamos que profissionais da medicina ou representantes das ciências da saúde — como biólogos, bioquímicos, farmacêuticos, pesquisadores em geral, técnicos de laboratório e outros mais — são médiuns, nos referimos à sensibilidade de que todo ser humano é dotado. Ela o faz perceber em maior ou menor grau a presença ou captar a influência espiritual, embora muitos deem nomes diferentes ao processo, quando não são espiritistas ou espiritualistas. Os representantes da ciência no mundo são por demais visados pelos espíritos, pois são eles mensageiros da saúde ou da enfermidade, do equilíbrio orgânico, psicológico, energético — e até espiritual — de milhares ou mesmo milhões de vidas de meus irmãos encarnados, tudo isso dependendo de sua atuação mais ou menos abrangente. Ao realizar suas pesquisas, nos ambientes sagrados dos laboratórios, podem se colocar ou estar sob a influência espiritual superior e perceber pela intuição os resultados de pesquisas levadas a cabo nos laboratórios do Invisível. Por outro lado, quando suas atitudes refletem uma proposta de vida que despreza os interesses da humanidade, quando o valor do dinheiro e das posições sociais sobrepuja o interesse de auxiliar, servir e ser instrumento do bem, não raro acabam se colocando de maneira aberta e sensível sob a direção de forças contrárias à evolução e ao bem.

No consultório e no contato com o ser humano necessitado, com seu paciente ou consulente, médicos, psicólogos, psiquiatras e outros profissionais da saúde, em amplo espectro, podem igualmente se ligar às correntes mentais superiores e aos bons espíritos, sendo instrumentos da vida e das forças que engendram o progresso no mundo. Muitos profissionais são verdadeiros médiuns do bem, embora enfrentem dificuldades variadas e, às vezes, exacerbadas, devido à falta de apoio governamental ou empresarial e de vontade política que favoreçam a promoção da saúde. Aqueles que não se vendem aos aplausos nem se submetem às exigências do meio ou do sistema, mas se dedicam com honradez aos postulados sagrados da medicina e a seus objetivos mais humanitários, geralmente contam com assistência superior. Esse fato lhes garante uma fonte de intuição sublime mais constante e um trabalho em sintonia com as forças soberanas da vida.

Frequentemente, o representante da saúde vai muito além de sua área estrita de competência, prescrevendo tratamentos, ministrando conselhos, atuando, em seu trabalho de doação, muito além do que seria sua obrigação social e profissional. Envolve-se de tal maneira com o paciente — sem que este por vezes registre o fato —, sensibiliza-se com a dor e os problemas alheios, atuando com tal interesse e dedicação, que se torna patente sua sintonia com as forças soberanas, as quais servem invisíveis, nos bastidores da vida, em benefício de meus irmãos sofredores.

Médicos chegam a relatar que prescrevem medicamentos que nem ao menos pensavam em prescrever, de modo consciente; apenas sobrevêm à memória... Outros veem-se impelidos, quase por força magnética, a aconselhar seus pacientes, embora nem sempre sejam religiosos ou crentes. Pessoalmente, como espírito, assisto um médico que se diz ateu, que declara não acreditar em espíritos ou espiritualidade. Contudo, quando se prepara para executar cirurgias ou se encontra à frente de algum paciente em estado crítico, fala em voz baixa, quase em súplica: "Se existe alguma força oculta, se existe alguém que não vejo, em quem não acredito, mas que quer o bem deste paciente, por favor, utilize minhas mãos, meus pensamentos e minha vida". Não podemos dizer que essa pessoa esteja sozinha; essa é apenas a sua forma de estabelecer conexão com nossos pensamentos, na imortalidade.

Não obstante, há uma situação que merece atenção de meus irmãos estudiosos do pensamento espiritual. É o fato de que existem muitos espíritos descompromissados com o bem interferindo, igualmente, no dia a dia do profissional da saúde, assim como há os que interferem no cotidiano do restante da humanidade. "De ordinário, são eles que vos dirigem",[3] disse um dos orientadores evolutivos do mundo. Essa realidade não pode ser esquecida em nenhum momento. Se todos estão o tempo todo sob influência

[3] Idem.

dos espíritos, é lógico inferir que, se o ser humano não corresponde ao pensamento superior, deve estar à mercê da oposição, como seu instrumento. É fundamental não se descuidar desse aspecto. Mesmo profissionais de saúde que afirmam estar a serviço do bem podem estar bem mal — o que, de resto, vale para todos nós. Podem estar, voluntária ou inconscientemente, sob a direção de entidades que levam a cabo planos cujo objetivo é comprometer o trabalho do bem ou, quem sabe, prejudicar aqueles que procuram a ajuda de tais profissionais.

Existem profissionais que se consorciam com representantes das sombras a fim de obter alguma projeção não na esfera social, mas no âmbito espiritual. Geralmente são tidos como dedicados representantes do bem e podem gozar de certa fama e privilégios, mesmo desconhecidos do grande público ou pouco evidentes, estando sob a tutela de seres opostos ao bem. Essa é uma verdade que também deve ser levada em conta. Como todos são médiuns, no sentido amplo, ninguém está imune a ser fantoche de espíritos sombrios. Ademais, quanto maior a projeção alcançada por alguém, mais inteligentes tendem a ser os que buscam influenciá-lo.

De modo algum isso equivale a dizer que todos que se projetam estejam a serviço das sombras. Contudo, todo ser humano precisa ficar atento a si próprio, conhecer-se melhor, procurar saber que lado defende, de fato. Palavras bonitas e vocabulário considerado rico e complexo muitas vezes apenas acobertam a verdadeira situação espiritual. Nem sempre os espíritos que inspiram os seres humanos são os de alta estirpe, tanto quanto nem sempre são eles do mal ou representantes das sombras. Existe uma massa de descompromissados, que simplesmente não tomam partido, conquanto desenvolvam sintonia vibratória íntima com seus consorciados, sem importar que profissão estes exerçam sobre a Terra.

Temos de considerar que todo profissional de saúde é um ser humano. Os títulos acadêmicos lhes abrem portas e caminhos apenas no mundo físico, material, mas não lhes conferem nenhum atestado de competência espiritual ou de boa assistência superior. Aliás, nenhum título da Terra sobrevive ao túmulo, como já foi demonstrado. Isso iguala todos perante todos.

É sob esta perspectiva que deve ser analisada a posição de todos os profissionais da saúde: como seres humanos. Sendo assim, talvez seja de utilidade fazer-se a pergunta: que tenho feito de real, genuíno, além das palavras e dos conceitos, das palestras e dos congressos, dos estudos acadêmicos e dos momentos de aparente projeção? Que trabalho efetivo tenho feito em benefício da humanidade?

Quando, no grande tratado de ciência espiritual da humanidade, conhecido como Evangelho, foi-nos dito que se conhece a árvore pelos frutos,[4] talvez o autor de tais palavras quisesse dizer que o histórico espiritual de cada um, inclusive dos que ostentam títulos acadêmicos, é medido pelas obras, pelo trabalho que realiza, pelas pegadas que efetivamente deixa nos caminhos da vida. Essa informação preciosa nos faz avaliar nossa jornada como espíritos humanos, considerar-nos também como humanos e ver-nos como seres cuja realidade jamais poderá ser

[4] Cf. Mt 7:15-21.

escondida atrás de títulos, posições sociais ou reconhecimento público.

Eis uma realidade que não se pode negar e à qual ninguém pode se furtar: o valor da árvore se conhece pelos frutos.[5] Ser médico, enfermeiro, pesquisador da saúde ou cientista, farmacêutico, psicólogo, bem como orador ou médium, são apenas oportunidades de progresso — e não de projeção.

Em resumo, saibamos considerar nossos irmãos da medicina como seres humanos que sofrem, vivem e se alegram como qualquer outro na Terra, mas que também, como todos, estão o tempo inteiro sob influência espiritual. São médiuns, na generalidade, como todos os seres humanos, e por isso mesmo podem estar ou se colocar sob o comando de forças supremas da evolução ou de forças contrárias.

Eis por que meus irmãos poderiam meditar sobre a necessidade de incluir nossos irmãos médicos, enfermeiros e outros profissionais da saúde em suas orações, sabendo que cada ser

[5] "Cada árvore se conhece pelo seu próprio fruto" (Lc 6:44).

humano, tenha ele a profissão de lavadeira, pedreiro, enfermeiro, engenheiro, advogado ou médico, é apenas um ser humano. No final da vida, será nivelado aos demais mediante a visita da morte. E, do lado de cá, somente têm valor as realizações, as intenções e o comprometimento com o bem, pelo bem. As demais coisas ficarão para trás, nos crematórios ou apodrecidas na sepultura. O que conta para o médium de qualquer espécie é o bem que haja feito em nome do bem; nada mais.

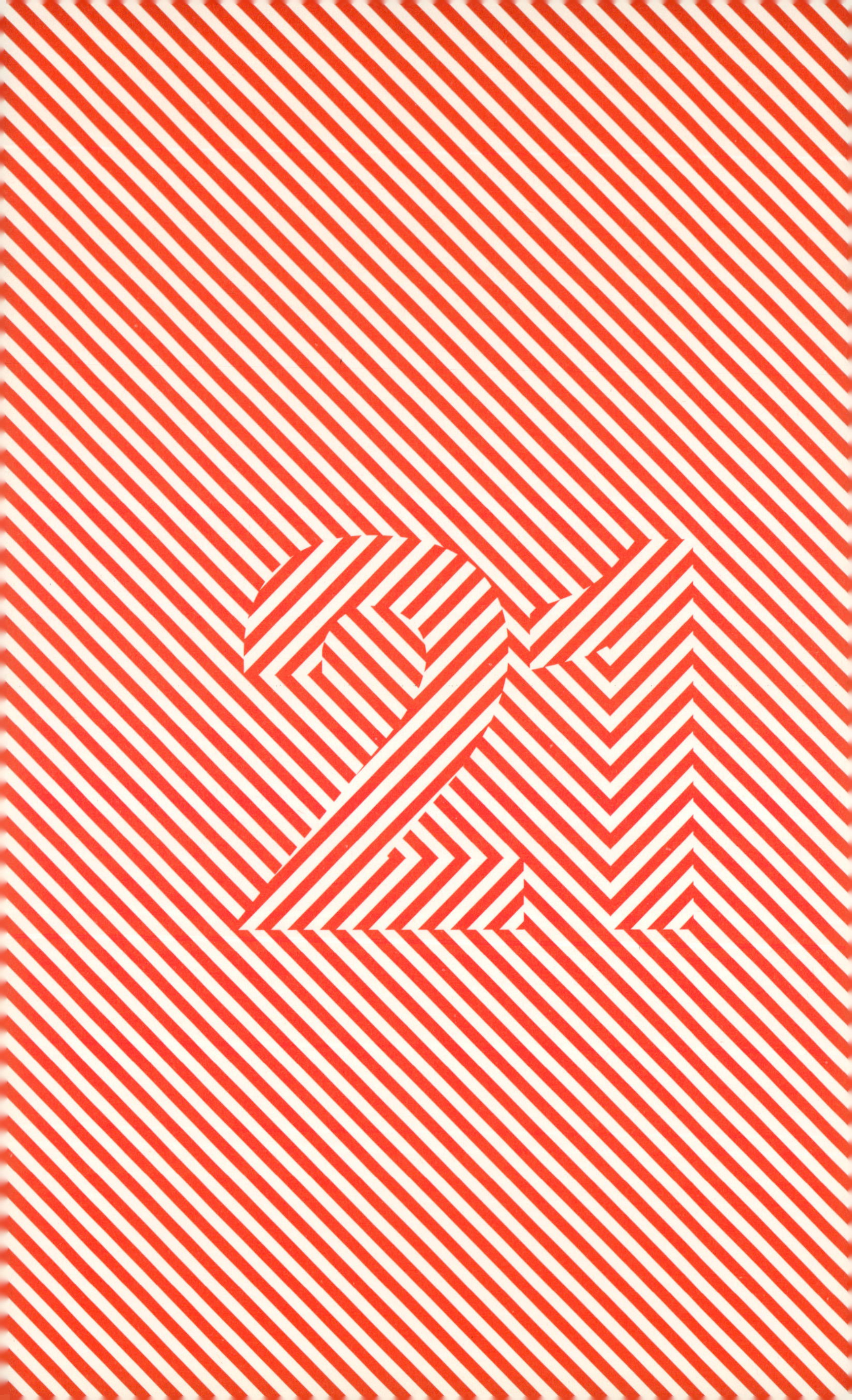

O lado médico do médium

TODO MÉDIUM que faz um trabalho em parceria com o Invisível, nas questões de auxílio à humanidade, tem uma faceta de médico, terapeuta ou psicólogo — não no sentido estritamente profissional dos termos, obviamente.

Justamente por causa dessa situação, é necessário que se tenha imenso cuidado para não confundir as profissões de médico, psicoterapeuta e terapeuta holístico com o trabalho de ajuda que presta o médium, de certa maneira usando conhecimentos e intuições a fim de favorecer o equilíbrio humano, auxiliando o próximo na restruturação da saúde integral. Sob esse aspecto, o bom senso recomenda ter bem claro que a maioria dos médiuns não tem formação profissional em medicina nem em psicologia.

Essa realidade determina que se tenha o máximo cuidado no trato com os consulentes que procuram o ambiente espiritual em busca de apoio e auxílio humanitário.

Deve-se levar em conta que o médium é totalmente responsável pelo que representa, bem como por aquilo que prescreve ou que o espírito prescreve por seu intermédio. Na hipótese de se ver compelido a enfrentar os órgãos públicos de controle e o aparato legal que rege o país, não é o espírito que se apresentará como responsável por eventuais equívocos, mas o sensitivo e a instituição da qual ele faz parte. Meus irmãos precisam se conscientizar — ou, no mínimo, lembrar-se — de que estão inseridos num contexto social e legal, no qual todos são responsáveis perante as leis humanas, e diante delas respondem por seus atos. Até onde sabemos do lado de cá, as leis humanas em nenhuma hipótese contemplam a possibilidade de que espíritos possam ser artífices de determinados erros concernentes ao chamado *receituário* dos meios espiritistas, nem tampouco a instituição à qual os médiuns se vinculam estará isenta das responsabilidades legais, no caso de prejuízo ao consulente.

Com essa visão, os dirigentes encarnados de trabalhos espirituais, os sensitivos e representantes legais das instituições precisam ficar atentos aos efeitos que podem advir da atuação de *médiuns receitistas*[1] que desconhecem ou não estudam a matéria à qual se dedicam, sob o pretexto de que os espíritos fazem tudo. Sob todos os aspectos, é recomendável que meus irmãos estudem cada vez mais intensamente sobre fisiologia e anatomia, tanto quanto se informem e amealhem o máximo de conteúdo possível sobre as questões relativas à tarefa que desempenham. Os espíritos não suprem a ignorância do médium — e médium sem estudo é ferramenta enferrujada, que exige ser reciclada ou trocada, evitando comprometer a qualidade e o trabalho dos Imortais.

Conhecer algo sobre as emoções humanas é de grande valia, embora, em hipótese nenhuma, deva haver a pretensão de substituir o psicólogo ou o terapeuta profissional, pois o tra-

[1] Cf. KARDEC. *O livro dos médiuns...* Op. cit. p. 276-277, item 193.

tamento espiritual não isenta o consulente de procurar auxílio profissional, quando necessário. Conhecer, estudar e informar-se a respeito do comportamento humano, das emoções desencadeadoras de enfermidades e estados alterados da saúde, em seu mais amplo sentido, é de grande importância para o arcabouço psicológico do médium. Portanto, que ninguém confunda um aconselhamento espiritual, no que se refere às emoções, com o trabalho profissional, especialmente de um bom e referendado terapeuta.

O médium não é, necessariamente, psicólogo nem psiquiatra — e, mesmo que seja alguma dessas a sua profissão, seu papel na casa espírita é diferente. Ao lado disso, inegavelmente, há muita gente que procura a terapia espiritual com o objetivo de postergar ou fugir do tratamento com esses profissionais. Entretanto, reiteramos: a terapia espiritual não dispensa a pessoa de procurar se orientar com trabalhadores da saúde, seja da área mental ou física, pois não competem um com o outro. Pelo contrário, muitas vezes o tratamento espiritual, quando confiável e genuíno, é excelente auxiliar ao tratamento convencional, e ambos se completam.

Quanto ao lado médico do médium, o aconselhável a meus irmãos que detêm a habilidade de atuar como médiuns receitistas, nessa área tão delicada quanto importante da atividade mediúnica, é que se dediquem a estudar e obter o máximo de informações possíveis sobre temas como homeopatia, medicina natural, fitoterapia, florais e outras terapias não invasivas, mas com o cuidado de não pretender substituir os médicos em sua função. Nem todo médium é médico. Mesmo quando é, seria muito bom que fizesse a distinção adequada e importantíssima entre o momento em que é o médico que está atuando e o momento em que é o espírito que está orientando. A mediunidade é um campo de trabalho que pode muito bem ser levado em paralelo e em sintonia ou parceria com a atuação médica. Todavia, pretender que médiuns substituam médicos constitui algo muito sério e que pode trazer inúmeras consequências desagradáveis e perfeitamente desnecessárias tanto para o médium quanto para o trabalho que ele pretende representar.

Dessa forma, o mais aconselhável é que o

médium se dedique ao estudo de terapias complementares e não invasivas, tendo o cuidado de lembrar o tempo todo que não é médico. Como sensitivo, não é legalmente habilitado a prescrever medicamentos alopáticos ou aconselhar quem quer que seja a deixar de usá-los. Em suma, o médium, incorporado ou não, não executa atos médicos, conforme os instrumentos e métodos da medicina convencional. Para atingir os objetivos da espiritualidade, definitivamente não há a necessidade de recorrer a ferramentas e substâncias que somente o médico tem autorização para manejar. À nossa disposição, temos o ectoplasma e o magnetismo, com suas inúmeras e eficazes aplicações: passes, água magnetizada ou fluidificada, intervenções espirituais no perispírito e no duplo etérico através de raios, ondas e partículas invisíveis, porém extremamente eficientes, às quais a medicina e a ciência convencionais ainda não têm acesso, pelo menos não sem a ajuda extrafísica.

Para o complemento do tratamento espiritual, muitas vezes são aconselháveis as técnicas magnéticas e psicobioenergéticas, que auxiliam mental e emocionalmente e favorecem o reequilíbrio das funções vitais, físicas e energéticas do consulente, sem que se precise fazer o papel de médico ou substituí-lo. Repetimos esse alerta à exaustão, pois não podemos comprometer o nome do espiritismo e o trabalho dos Imortais. Até porque ajudar o outro e se prejudicar não é caridade, mas ignorância.

O tratamento espiritual visa ao reequilíbrio das funções vitais do indivíduo e sobretudo à conscientização e ao despertar de sua responsabilidade perante a vida, e não apenas à extinção do mal ou da dor. A doença é o remédio amargo, porém muitas vezes necessário, e como regra é decorrente de ações equivocadas, daninhas ou criminosas perpetradas no passado recente ou remoto. Caso seja possível retirar de um criminoso as algemas que cerceiam sua liberdade, podemos incorrer no grave risco de ser coniventes com a perpetuação do mal que ele pode desencadear. Isto é: muita gente sofre, padece dores e limitações físicas, emocionais ou energéticas porque sem elas causaria sério prejuízo à comunidade da qual faz parte. Desse modo, urge dosar o emocionalismo e o sentimentalismo descabidos, aprendendo a confiar que a Providência Divina é sábia, jamais se engana, assim como jamais é enganado o corpo que serve de morada ao espírito. Podemos contribuir para a melhora da qualidade de vida do ser humano, mas, sob o pretexto de fazer caridade, nunca impedir que ele ajuste contas com seu passado ou passe pela provação necessária a seu aprendizado.

O médium munido do conhecimento de terapias não invasivas pode ser um excelente instrumento para espíritos mais esclarecidos. Caso resolva trabalhar com mais racionalidade e inteligência, dissipando os mitos a respeito da mediunidade e dos espíritos, verá quanto seu trabalho pode se ampliar cada vez mais, à medida exata que diminuir o misticismo e se desfizer de crenças infundadas, mantidas em virtude da formação religiosa ou educativa que recebeu ou que vigora na sociedade onde vive.

A mente do médium carece estar repleta de informações. Ele deve se capacitar para que o espírito encontre em seu arcabouço psicológico ou em seu repertório o maior número possível de elementos, a fim de agir e atuar em consonância com a proposta educativa que permeia todo o trabalho dos espíritos superiores.

O tratamento espiritual realizado por intermédio de meus irmãos tem por objetivo a promoção do bem-estar de encarnados e desencarnados, mas tomados em sua totalidade, como seres humanos espirituais, e não somente em sua base física, temporária, que é o corpo descartável. O objetivo é muito maior, por mais que os consulentes anseiem é pela cura do corpo — que, diga-se de passagem, curado ou não será completamente descartado no decesso final ou descarte biológico chamado morte.

Ainda há outro aspecto a considerar acerca do objetivo do tratamento espiritual. Não pensem meus irmãos que este vise somente ao benefício imediato do homem encarnado. Também mira sua segurança, a qualidade de vida e as atitudes do individuo em sua relação com o meio ambiente, que é, afinal, o planeta onde habita. Sob essa ótica, alertamos mais uma vez que a questão da saúde como da enfermidade estão diretamente ligadas ao fator educação do espírito: educação para viver em paz consigo mesmo e com qualidade, na dimensão social, e também no que se refere a sua responsabilidade para com a vida e o meio ambiente onde temporariamente transita.

O médium e sua equipe jamais poderiam prometer a cura, divulgar que curam, fazem cirurgias e outras coisas que, aos olhos do vulgo, parecem milagrosas. Entre outras razões, porque nossos irmãos trabalhadores da ciência do espírito desconhecem a necessidade de reeducação de cada pessoa que lhes é encaminhada. E educação, reiteramos, num contexto integral, psicofísico, a qual não raro passa pela via das limitações físicas impostas pela lei, visando ao reajuste do indivíduo perante a própria consciência. Esse instrumento abençoado chamado dor é capaz de chamar a consciência à responsabilidade perante a vida e a comunidade onde está inserida, por necessitar de aprendizado. A dor funciona também, em muitos casos, como corrente ou algema que limita ações criminosas, pois incapacita temporariamente espíritos que protagonizaram atos de desrespeito à vida e aos viventes, segundo revela seu histórico pessoal.

Consciente desse processo, que obedece à divina lei, o médium precisa entender que ele não cura nada nem ninguém. No máximo, opera como instrumento que a Providência utiliza para ajudar a promover a reeducação da pessoa-espírito. A cura sobrevirá à proporção que o autor de situações, dramas e atitudes desrespeitosas do pretérito entender sua situação perante a lei universal; compreender que precisa ressarcir, pelo amor, aquilo que plantou em matéria de dor, comprometendo-se, genuinamente, a restaurar, pela força do amor, tudo o que se mostrou sinônimo de destruição, desajuste ou desequilíbrio.

Como já dissemos, a atualização do conhecimento do médium é fator fundamental para que os espíritos possam, cada vez mais, empreender um trabalho que garanta qualidade de vida aos meus irmãos em processo de aprendizado no planeta Terra. E a catalisação do equilíbrio do indivíduo que procura o médium em seu ministério de tratamento — quer seja receituário mediúnico ou orientação emocional e espiritual — precisa ser levada a efeito mediante o uso de métodos os mais brandos possíveis, evitando-se o comprometimento dos trabalhos e do nome do espiritismo e das instituições que o representam perante o mundo.

Sendo assim, é conveniente, para o bom andamento dos trabalhos de tratamento espiritual, que haja a colaboração de um ou mais médicos conhecedores do mecanismo de atuação dos espíritos e das leis dos fluidos e do magnetismo. Isso evita possíveis perturbações no cotidiano dessas atividades, resguardando-as em relação às leis que regem o país tanto quanto daqueles que possam, de alguma maneira, querer obstruir a marcha dos trabalhos. Muitas vezes o médium, durante o transe e a comunicação do espírito orientador, pode requerer a ajuda de um médico encarnado da equipe e, em parceria, poderão chegar a um consenso quanto ao tratamento a ser dispensado ao consulente. Então, caso haja necessidade real, o médico — e não o médium incorporado — talvez julgasse adequado prescrever determinado medicamento, sempre observando as limitações impostas pela lei do país, sem comprometer o médium e o trabalho espiritual. Desse modo, o médium evita submeter-se a vexames ou mesmo ser alvo de detratores do espiritismo, na medida em que preserva a devida distância de atos médicos, para os quais não tem licença nem capacitação. A legislação vigente precisa ser respeitada, a fim de evitarem-se fraudes, erros — que médicos também cometem, como qualquer ser humano — e acusações de que o médium de cura ou receitista esteja em pleno exercício ilegal de medicina ou praticando curandeirismo.

Com esse entendimento do trabalho espiritual de saúde, da responsabilidade de meus irmãos médiuns em relação ao espiritismo e ao mundo invisível, e do zelo pela imagem e pela repercussão do trabalho, os médiuns devem estar cientes de que todo trabalhador, todo agente do Invisível é responsável direto pelo que os espíritos realizarem através dele. Está sob sua responsabilidade direta a visão que os consulentes e as pessoas em geral terão da mensagem elevada que o espiritismo traz.

Mais do que com o bem-estar físico aparente e impermanente das pessoas que nos procuram, muito mais do que com as reclamações e necessidades expressas de meus irmãos — os convidados exigentes de nosso Mestre —, temos de ter em mente que nossa responsabilidade é com a humanidade, e não com uma pessoa, apenas, nem com casos particulares. Constituem o foco de nossa ação no mundo a difusão da mensagem espírita de renovação e o fomento da reeducação espiritual de meus irmãos que se apresentam como sofredores. A mensagem que realiza a verdadeira libertação do cativeiro da alma é a filosofia espírita — ou as ideias ali contidas e desenvolvidas. Essa é a cura mais genuína, mais profunda e intensa a que devemos dar ênfase em nossas atividades, de qualquer natureza que sejam.

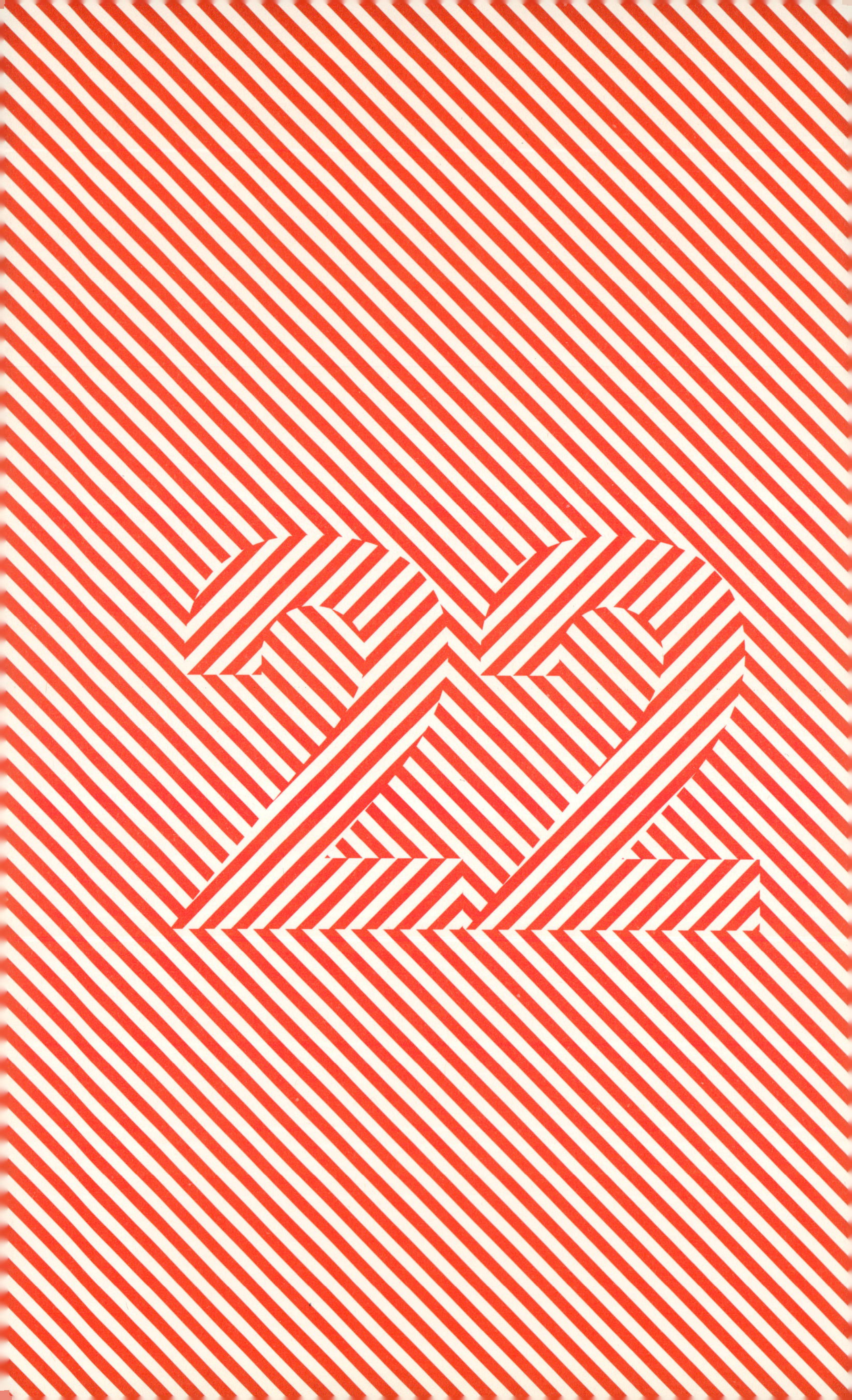

Espiritualização da ciência

A CIÊNCIA CAMINHA a passos largos rumo à realidade do espírito. Com essa afirmativa, não quero dizer que tenha de existir uma ciência espírita ou que os cientistas tenham de se espiritizar; de modo algum. Mas é inegável que, a cada dia, mais evidências laboratoriais da vida além dos limites da matéria têm bombardeado os pesquisadores, de tal maneira que já se admite, ao menos por hipótese, a existência de um universo pluridimensional, sem nos reportarmos a outros conceitos ainda mais próximos da noção de espiritualidade. Pouco a pouco o véu de Ísis se descerra perante as pesquisas e pesquisadores da vida, do cosmo e da natureza humana, em particular.

A ciência humana encontra-se numa encruzilhada. Caso admita apenas os postulados de uma ciência cartesiana, não oferece soluções para inúmeras indagações e a imensa quantidade de fenômenos que desafiam diariamente os cientistas mais céticos. Se aceitar a hipótese de que há vida além das fronteiras do mundo conhecido, de que a energia vibra além dos limites traçados pela ciência moderna ou de que existem fenômenos inexplicáveis pela metodologia atual, a consequência inescapável é a de que será necessário empreender uma revolução geral na investigação e na prática científicas. Enquanto hesitam os sábios, ganha força o desafio de ir além dos limites impostos pelo paradigma atual, que enxerga o ser humano como se ele fosse apenas constituído de nervos, músculos e elementos puramente materiais.

No âmbito da saúde, há que ir mais além, considerando características individuais, o contexto social, além de outros fatores que escapam à análise dos laboratórios e aos diagnósticos realizados mediante exames proporcionados pela tecnologia. O homem é muito mais do que se pode perceber numa ressonância magnética ou numa tomografia computadorizada.

Grandes perguntas se impõem neste momento especial em que a humanidade vive seus desafios mais críticos. A ciência atual responde às indagações humanas? Os postulados científicos são suficientes para satisfazer os anseios e as necessidades da população? Ou existem lacunas que precisam ser preenchidas com outro elemento, não material, decorrente de uma análise transpessoal, energética, que aborde o ser num contexto mais profundo? As drogas prescritas pela medicina, desenvolvidas nos laboratórios farmacêuticos, são capazes de solucionar os problemas que desencadeiam no corpo e as reações relatadas pela massa de sofredores? Será que inexiste uma fórmula, uma alternativa menos invasiva, menos daninha ao sistema orgânico, que contemple a saúde de maneira integral?

A partir dos avanços de respeitáveis representantes da nova ciência, que delineiam um futuro diferente para a humanidade, alguns fatores relevantes têm sido levados em conta na análise dos problemas humanos. Não há como deter a marcha do progresso que invade os laboratórios ou, se não estes, ao menos a mente dos bandeirantes de uma nova ciência, os novos humanos do futuro da Terra. Na atualidade, mais do que em séculos passados, acumulam-se recursos e evidências do mundo além da matéria, entre eles o desenvolvimento e a utilização de técnicas avançadas de magnetismo, as descobertas da psicologia transpessoal e da neurolinguística, além de diversos outros fatores antes não apreciados pela ciência acadêmica, oficial, mas que têm ingressado no rol de investigação. Cresce o número de estudiosos com capacitação e entendimento desses novos eventos e de novas leis, fatos que não desprezam ao analisar o ser humano. Muitos que procuram o consultório médico, psicológico ou psiquiátrico trazem elementos que podem ser mais facilmente identificados quando o profissional e cientista, além de abarcar os sintomas físicos, lança um olhar mais aprofundado pelos campos da alma. Listemos alguns exemplos.

Enfermidades que desafiam as explicações científicas mais atualizadas com frequência guardam profunda ligação com energias advindas de rituais de magia, de tentativas frustradas e equivocadas de estabelecer contato com forças ocultas, as quais desencadearam situações aflitivas e tomaram, no corpo, a forma de patologia. O uso de uma carga elevada de medicamentos, com muita química agindo no organismo, especialmente por tempo mais dilatado, acaba afetando campos energéticos e meridianos, através dos quais circulam energias caríssimas ao equilíbrio orgânico e mental. Emoções desajustadas e desequilibradas desencadeiam, no sistema imunológico sutil, malefícios para a saúde do corpo, chegando a interferir no psiquismo do indivíduo. A memória celular, mais presente nos campos energéticos do corpo espiritual ou psicossoma, mas também na contraparte física, traz a mensagem ou identidade vibracional do indivíduo impressa de maneira indelével, de tal sorte que se pode afirmar com segurança que a linguagem do corpo jamais se engana. A alteração substancial de campos morfogenéticos, mediante determinadas vivências de meus irmãos encarnados, pode ocasionar enfermidades, em novos corpos, nas vidas futuras, que se manifestam repentinamente no veículo orgânico, com frequência resistentes aos métodos tradicionais e até mesmo a terapias alternativas, caso o indivíduo não empreenda séria reprogramação emocional, mental e comportamental. Mesmo após muitos anos de pesquisas, descobertas e avanços no conhecimento do genoma humano, chega-se à conclusão de que tais estudos não respondem tudo. Existem ainda muitas perguntas sem resposta, por se considerar o ser humano da forma estanque ou restrita como se tem feito até então, nos meios acadêmicos. Há que ir além, muito além.

Esses são alguns dos fatores que atualmente vêm sendo debatidos, ventilados e trazidos à apreciação, de maneira tal que a ciência se aproxima gradativamente dos conceitos de espiritualidade. O modo como meus irmãos conhecedores da realidade extracelular e extracorporal apresentarem seus postulados e pesquisas pode ser capaz de influenciar até aqueles mais resistentes. Muitas vezes, a resistência encontrada nos meios científicos e acadêmicos está mais relacionada à forma como se apresentam tais conclusões, e às características de quem as apresenta, do que à ideia nova em si.

Lenta, mas progressivamente, a medicina,

assim como a ciência de maneira geral, reunirá em seu bojo elementos que lhe são novos, mas já amplamente estudados em outros círculos, e levará em conta outros fatores, além dos apresentados nas imagens e exames laboratoriais, como relevantes à compreensão da saúde e de diversos setores da vida humana. Conhecimentos como a radiônica, o potencial energético desencadeado pela acupuntura, os métodos milenares de diagnóstico por meio do pulso, da íris e da detecção de campos energéticos, através do magnetismo animal, poderão se incorporar em breve aos sistemas utilizados nos consultórios e laboratórios de todo o mundo. Embora de modo lento aos olhos terrenos, a realidade espiritual e energética aproxima-se definitivamente da ciência, que poderá dar um passo enorme, gigantesco em suas descobertas e sua metodologia, abrindo caminho para que novas fronteiras sejam desvendadas, para que novos postulados sejam admitidos pelos representantes da ciência de uma nova humanidade e incorporados à sua prática.

Ao examinar o panorama do mundo atual, com desafios de ordem social, política, religiosa, econômica e ambiental, o indivíduo que não considera o todo, cujo olhar não abarca uma dimensão mais ampla, poderá ver seu temor assumir proporções dificilmente controláveis, alimentando uma sensação de desconfiança, insegurança e negatividade. Porém, o mundo avança. Aquilo que desperta as emoções e provoca medo já é reflexo do progresso que a tudo desnuda, inclusive as intenções das pessoas, colocando à mostra o que permanecia encoberto. Em breve, substituídos por espíritos mais comprometidos com o progresso, os quais diariamente chegam ao mundo pelas portas da reencarnação, os homens velhos, representantes de um mundo em decadência, deixarão a Terra para que os novos homens, imbuídos de um sentimento mais altruísta, possam descortinar o futuro de espiritualidade da raça humana.

Enquanto a Terra estiver sob a tutela dos representantes maiores do mundo oculto, enquanto o governador espiritual da humanidade estiver no controle dos eventos que se desenrolam na superfície e nas dimensões ocultas do planeta, a humanidade poderá ter a certeza de que o bem florescerá, de que o progresso ocorre e ocorrerá. Um novo homem e uma nova forma de conceber a vida e o universo nascerão diante dos olhos de cientistas e governantes, promovendo uma revolução a princípio silenciosa, mas cada vez mais patente; uma revolução conceitual, que trará à tona novos paradigmas e demolirá ideias e crenças antigas. Em breve, os céus do planeta receberão as luzes dos céus, os irmãos das estrelas, e o sistema de crenças vigente cairá, para que surja, das cinzas do passado, das ideias acanhadas e de uma ciência raquítica e ainda bastante ineficiente, uma nova visão do mundo, uma nova humanidade.

Fisiologia espiritual: a alma sob análise profunda

O CONHECIMENTO da fisiologia energética, dos campos magnéticos e da estrutura do perispírito ou psicossoma é a chave para inúmeros mistérios. Muitos problemas, ainda insolúveis para os questionamentos humanos, serão desvendados pelos estudiosos da ciência do espírito e pelos cientistas em geral, quando esse saber for descerrado por eles. Junte-se a isso o conhecimento do fenômeno da reencarnação, suas leis e consequências nas vidas de meus irmãos encarnados, e será possível esclarecer muitas questões relativas às enfermidades que, não se logrando curá-las em determinados enfermos, em outros são perfeitamente administráveis. Chega-se mesmo à cura, em alguns casos. Então, será possível investigar se a gênese não está associada ao passado evolutivo da criatura.

Admitir-se-á a existência da contraparte energética, espiritual, semimaterial, que são os corpos mais sutis, os quais de certa forma revestem o paletó de carne costurado com nervos. Como apenas este é, formalmente, objeto de estudo da ciência terrena atual, escapam-lhe as psicopatologias do corpo espiritual ou psicossoma, do duplo etérico e da ligação entre ambos, o chamado cordão de prata. Além dessas, há algumas enfermidades decorrentes da interação do duplo com os fluidos que lhe chegam. Quando do abuso dessas estruturas semimateriais, descarregam-se sobre o compartimento físico diversas enfermidades e anomalias dificilmente explicáveis pela medicina humana, terrena, que podem ser mais bem compreendidas ao se estudar os pormenores da fisiologia energética.

Hoje, depois de séculos, o psicossoma ainda constitui objeto de estudo de companheiros que estagiam em nossa dimensão, enquanto nos aventuramos passo a passo nas primeiras pesquisas de outros campos da mente.

Assistimos a alguns irmãos na Terra querendo relegar a segundo plano o estudo da fisiologia espiritual, energética, perispiritual, achando que poderão realizar tratamentos e procedimentos espirituais sem o conhecimento básico, mesmo que teórico, desse importante veículo de manifestação do espírito. É impossível, no estágio em que se encontram meus irmãos, pular uma matéria tão importante e muitíssimo essencial quanto é o conhecimento da fisiologia e das psicopatologias do psicossoma, assim como o conhecimento de temas correlatos, tais como duplo etérico e cordões de prata e de ouro. Somos taxativos: não há como abordar questões no âmbito da saúde energética e espiritual sem o conhecimento prévio de questões tão fundamentais e necessárias para o terapeuta do espírito.

Enamorados da ideia de estudar temas avançados, que nada têm de avanço real, muitos desprezam o conhecimento da fisiologia energética e de leis elementares relativas ao mundo espiritual e à constituição do ser. Querem ir mais além, alegando que alcançaram determinado estágio de conhecimento, que sua prática dispensa tais estudos, pois já avançaram para além dessa fronteira.

Perguntaria a esses meus irmãos: como puderam progredir tanto em uma matéria que, mesmo do lado de cá da vida, constitui-se num dos principais tópicos de estudo dos espíritos superiores? Com que instrumentos abordaram as estruturas complexas do perispírito? Quantos anos se dedicaram, investigando e realizando experiências, tanto no corpo espiritual quanto no corpo mental e mesmo no duplo etérico, de modo que possam se julgar aptos a uma abordagem em corpos ainda mais sutis, tremendamente desconhecidos até para os espíritos de nossa dimensão?

Vejo muito orgulho e pretensão no lugar de espírito de investigação, o qual deveria ser o marco do estudo das questões espirituais. Floresce o anseio por milagres, disfarçados de poderes ocultos, cercado pela ignorância completa a respeito da realidade do espírito, num contexto que forma uma plateia crédula e profundamente mística, que aceita toda e qualquer suposta revelação espiritual. Caso se façam uma análise mais ou menos superficial, nem mesmo profunda, e questionamentos racionais, mas de pouca monta, logo se verão os disparates que se cometem em nome de uma ciência espiritual. Mesmo conhecimentos puramente físicos, adulterados por uma pseudossabedoria, fazem as vezes de conhecimentos substanciais e pesquisa séria, únicos elementos que formam livres pensadores.

Infelizmente, o misticismo e a ideologia substituem, na atualidade, muito do conhecimento científico e do método, recursos dos quais lançou mão Allan Kardec ao erigir os princípios da ciência espírita, ainda hoje vigentes até do lado de cá da vida. Pessoalmente, tenho a convicção de que é preciso urgentemente kardequizar o movimento espírita. Não no sentido de policiamento doutrinário, segundo as interpretações equivocadas de dirigentes e médiuns que já deveriam ter sido substituídos por mentes mais avançadas. Estamos nos referindo à necessidade de se retomarem pesquisas e estudos, perguntas e questionamentos, ou seja, voltar à origem, ao método de perguntas inteligentes formuladas a mentores e médiuns. Questionamentos mais profundos, sem o medo ou a precaução de incorrer em indiscrição ou desrespeito, como se inquirir espíritos e médiuns à moda kardequiana equivalesse a afrontá-los.

A filosofia espírita surgiu a partir de perguntas, e aqueles espíritos que não querem ou não gostam de ser indagados sobre o que defendem ou o que fazem talvez requeiram preces, em caráter emergencial.[1] Não são de forma alguma confiáveis, nos ensinou o mestre lionês. Aqueles que se mostram raivosos, brutos ou indelicados precisam retornar ao palco da reencarnação a fim de aprender um mínimo de educação e serem forjados novamente para o trato com qualquer ser, desencarnado ou reencarnado. Além disso, esses espíritos carecem mais de ajuda do que a podem oferecer.

Fazer ciência espírita confiando indiscri-

[1] "Pensam algumas pessoas ser preferível que todos se abstenham de formular perguntas e que convém esperar o ensino dos Espíritos, sem o provocar. É um erro. Os Espíritos dão, não há dúvida, instruções espontâneas de alto alcance e que errôneo seria desprezar-se. Mas explicações há que frequentemente se teriam de esperar longo tempo, se não fossem solicitadas. Sem as questões que propusemos, *O livro dos espíritos* e *O livro dos médiuns* ainda estariam por fazer-se, ou, pelo menos, muito incompletos e sem solução uma imensidade de problemas

minadamente nos espíritos não é correto, além de ser perigoso, como já sublinhei anteriormente.[2] Do lado de cá da vida, vicejam mistificadores tanto quanto aí, do lado de meus irmãos. É preciso desconfiar sempre, perguntar mais, aprofundar-se mais ainda na análise dos resultados, na metodologia, no estudo, para que a prática seja coerente a ponto de ser respeitada até mesmo por aqueles que se colocam como detratores do espiritismo.

A prática espírita alicerçada em sabedoria e no conhecimento dos campos energéticos e espirituais, bem como da estrutura fisiológica e das patologias envolvendo os diversos corpos de manifestação do espírito, aumenta nos adeptos

de grande importância. As questões, longe de terem qualquer inconveniente, são de grandíssima utilidade, do ponto de vista da instrução, quando quem as propõe sabe encerrá-las nos devidos limites. (...) Por isso mesmo, em geral, [espíritos mistificadores] recomendam aos médiuns, que eles desejam dominar, e aos quais querem impor suas utopias, se abstenham de toda controvérsia a propósito de seus ensinos" (KARDEC. *O livro dos médiuns*... Op. cit. p. 443-444, item 287).

[2] Cf. PINHEIRO. *Além da matéria*. Op. cit. p. 24.

a convicção de que estão sob a tutela superior. Mais ainda, deixa claro que a ciência do espírito está fundamentada em fatos, e não em opiniões isoladas de espíritos que pretendem chamar mais atenção para o fenômeno do que para a realidade da ciência espiritual.

Durante o tratamento espiritual, pode-se muito bem pedir, à entidade que está prestando o atendimento, esclarecimentos sobre o método e a necessidade de certos instrumentos ectoplásmicos, por exemplo. E por que não indagar a respeito dos resultados, nem sempre satisfatórios aos olhos de quem observa? Pesquisar, estudar sempre, aprofundar-se no conhecimento das leis do magnetismo, previamente às explicações concedidas e a partir delas, será muito proveitoso para o desenvolvimento de meus irmãos estudiosos da espiritualidade.

Imaginemos que, antes de cada procedimento espiritual, fosse utilizado o magnetismo, visando desdobrar o paciente, e logo depois o espírito atendente lançasse mão dos procedimentos habituais. Veriam como os resultados dos tratamentos seriam multiplicados em qualidade e profundidade. Outro benefício dessa prática é que se deixaria de dar atenção e valor exclusivamente ao espírito incorporante ou incorporado, na medida em que meus irmãos teriam um papel preponderante na obtenção dos efeitos e na metodologia empregada. Isso a um só tempo estimularia a equipe e exigiria dela a especialização em temas do magnetismo e da fisiologia espiritual, com resultados de fato mais profundos, confiáveis e estáveis, em relação à recuperação dos consulentes.

Para se estudar fisiologia energética e espiritual, fatalmente se deve aprofundar nos experimentos do magnetismo — tanto médiuns, como dirigentes e colaboradores —, a fim de que toda a equipe esteja afinada e maneje com propriedade os recursos à disposição. Também um estudo detido dos mecanismos de reajuste das leis da reencarnação abriria os olhos de meus irmãos, sua visão espiritual, revelando-lhes por que muitas dores e enfermidades são perfeitamente curáveis, enquanto outras da mesma categoria não são sequer amenizadas.

É muito importante uma ação conjunta entre trabalhadores e espíritos que os dirigem, com o máximo de diálogo e conhecimento das situações que estão sendo abordadas. Esse é o tipo de parceria muitíssimo desejado e incentivado por aqueles espíritos mais esclarecidos, que são responsáveis perante a espiritualidade maior.

Junte-se a esse quadro a consulta ao mentor espiritual do indivíduo que se submete ao tratamento, pleiteando acesso a seus registros reencarnatórios. Então se entenderá melhor quando alguém adoece devido aos erros do passado recente, aos hábitos adquiridos, ou em razão de equívocos remotos, forçando a culminância do resgate necessário. Até mesmo se verá quando tais enfermidades são programadas no período entre vidas, compreendendo por que é desaconselhável curá-las, uma vez que consistem numa forma de restringir os abusos da alma que se diz sofredora, embora seja apenas cativa, em caráter temporário. Muitas vezes, temos diante de nós criminosos do passado, disfarçados de uma roupagem humana, que denota sofrimento e desperta comiseração tão somente em quem não pode enxergar o interior e a mente dos que buscam auxílio — ou melhor: na maioria dos casos, alívio.

Em qualquer circunstância, o estudo da fisiologia espiritual, aliado a outros campos do conhecimento, é de imensa e inigualável utilidade para meus irmãos que militam na área da saúde energética e, também, física. Mesmo para aqueles que se aventuram no estudo do corpo humano através da ciência terrena, tal conhecimento ampliará fronteiras e descerrará campos de investigação que expandirão a visão do médico e do pesquisador, voltando-lhes a atenção para situações que a ciência humana ainda não está apta a abordar, de modo mais adequado.

Não obstante estudem a fisiologia espiritual psicossomática, energética ou do corpo mental, nos pouquíssimos tratados que existem a respeito, seria altamente recomendável que meus irmãos não deixassem de se atualizar em ciências novas, abordando questões até então relegadas aos consultórios psicológicos, por exemplo, embora sua natureza não se restrinja ao campo psicológico — e tampouco se sugira substituir a investigação e a terapia profissionais, como já foi dito. Basta munirem-se da devida prudência e segurança no manejo das ferramentas usadas, peculiares à terapêutica espiritual. Afinal de contas, há que ter o cuidado de não ficarem obsoletos, diante de novos conhecimentos trazidos do mundo espiritual e que enriquecem as aquisições humanas. Refiro-me a conhecimentos como programação neurolinguística, certos ramos da psicologia, como a psicologia transpessoal, temas como a ação dos remédios florais nos estados emocionais alterados e sobre certos comportamentos de meus irmãos. Há, ainda, diversos outros tópicos correlatos, que precisariam formar um compêndio de estudos permanente entre aqueles que assim desejarem e que se identificam com o tratamento espiritual e energético.

Existem muitas formas de atenuar o sofrimento de meus irmãos, aliando o conhecimento psicossomático aos recursos que têm sido ventilados da esfera extrafísica diretamente para meus irmãos, no mundo dos encarnados. Um estudo demorado, detalhado e rico dessas questões poderia auxiliar seriamente meus irmãos no enfrentamento das dificuldades apresentadas no dia a dia. Além disso, tiraria dos espíritos a responsabilidade exclusiva de fazer diagnósticos e indicar tratamentos aos irmãos necessitados. É fundamental desenvolver uma parceria entre encarnados e desencarnados, a fim de que sigam juntos, unidos e confiantes, rumo ao futuro do espírito, que é a ciência espiritual.

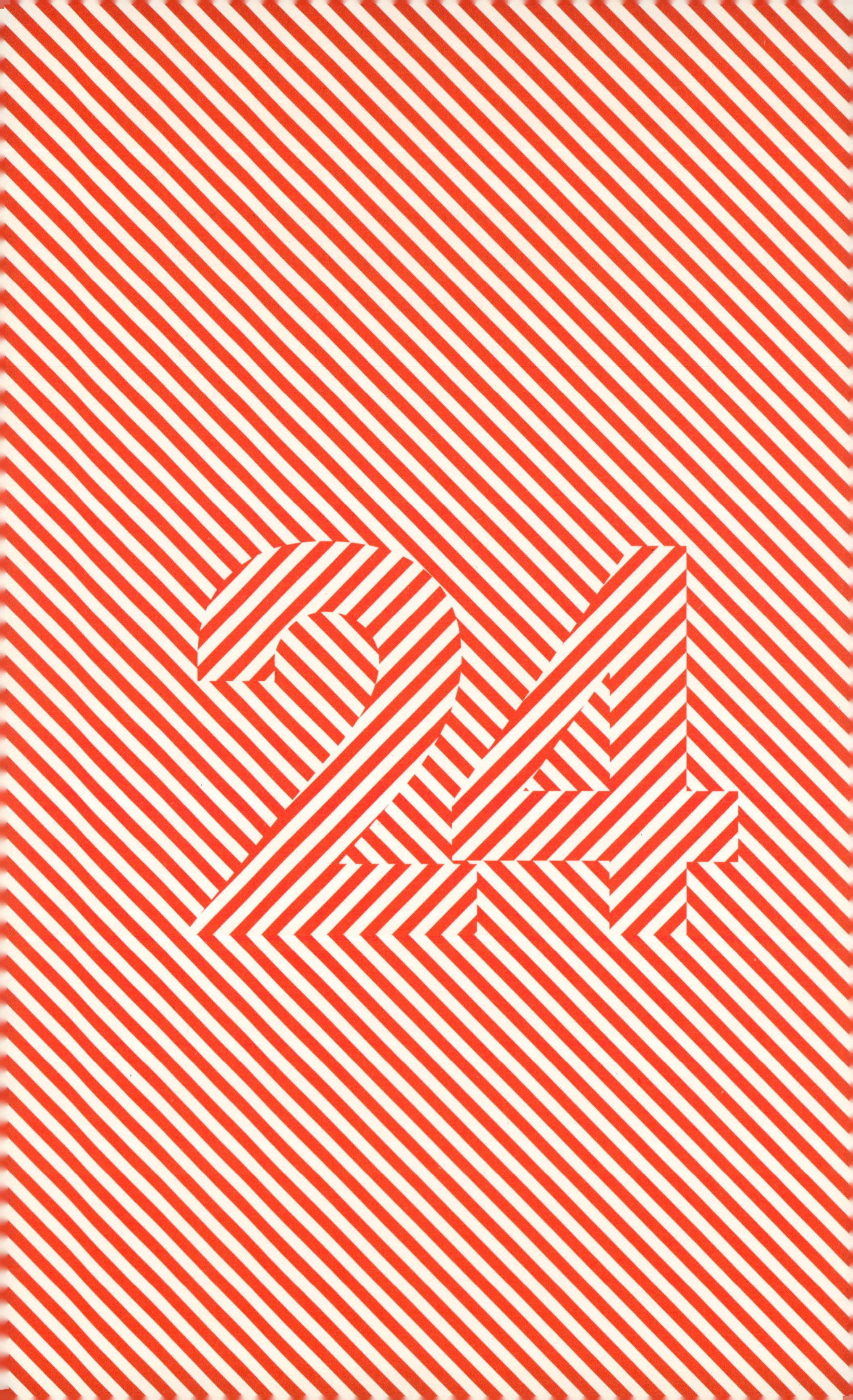
24

Energias e fluidos

O MUNDO, O COSMO ou universo vivem, vibram e evoluem num mar de fluidos, energias e vibrações muitíssimo além das possibilidades humanas atuais de percebê-los em sua intensidade plena. Caso o ser queira se aprofundar, conhecer, conceber e apreender a ciência universal, adentrar o laboratório vivo e sagrado do cosmo, precisará aprender a raciocinar em termos de energias e vibrações, a pensá-las e senti-las, pois tudo no cosmo tem sua frequência, sua vibração. E absolutamente tudo se manifesta através de energias, desde o espírito até a molécula de vida.

Se o cientista da alma ou o pesquisador do cosmo não pensar em termos de energias, jamais conceberá a imensidade do universo, seus multiversos, o cosmo em sua totalidade — e mesmo suas partes ou dimensões paralelas à realidade na qual está inserido. Mergulhado neste oceano de energias, vibrações e fluidos imponderáveis, tudo vibra e vive, cada coisa em sua frequência própria, em sua transcendência material e sua realidade quântica. O que se percebe aqui pode existir no mais além, em outra parte do cosmo, simultaneamente, mas em frequência diferente. Sob esse aspecto mais amplo, multiexistencial e parafísico, entendemos nós, os espíritos da esfera onde estagio, que o universo todo, o cosmo físico, é precedido pela energia de outro universo, dotado de uma constante gravitacional e energética própria, de leis e fenômenos tão ou mais distintos quanto mais irradiante ele for. Afinal, energia nada mais é do que matéria em estado irradiante, enquanto a matéria, ao se manifestar no mundo fenomênico, é nada mais do que energia coagulada, concentrada. Por sua vez, a energia, em si, ainda é precedida de outras vibrações, de outras frequências, nas quais vibra o embrião universal de todos os mundos, ao qual denominamos consciência e espírito.[1]

[1] "A ponderabilidade é um atributo essencial da matéria? 'Da matéria

Segundo essa perspectiva da realidade genuína, da existência real ou original, a verdadeira civilização não é a material, mas aquela que a precede em torno e acima da realidade do mundo físico.[2] O universo puramente material, orgânico,

como a entendeis, sim; não, porém, da matéria considerada como fluido universal. A matéria etérea e sutil que constitui esse fluido vos é imponderável. Nem por isso, entretanto, deixa de ser o princípio da vossa matéria pesada'" (KARDEC. *O livro dos espíritos*. Op. cit. p. 85, item 29). Como se vê, segundo a filosofia espírita existe um elemento material primordial, denominado fluido universal. Entretanto, não é fácil descrever aspectos a ele relacionados ou dele derivados sem recorrer a palavras relativamente imprecisas, como *energia*, *vibração* ou *fluido*. Já na codificação os espíritos anotam essa limitação: "As palavras pouco nos importam. Compete-vos a vós formular a vossa linguagem de maneira a vos entenderdes. As vossas controvérsias provêm, quase sempre, de não vos entenderdes acerca dos termos que empregais, *por ser incompleta a vossa linguagem para exprimir o que não vos fere os sentidos* (ibidem, p. 84, item 28. Grifo nosso).

[2] "Qual dos dois, o mundo espírita ou o mundo corpóreo, é o principal, na ordem das coisas? 'O mundo espírita, que preexiste e sobrevive a tudo'" ("Mundo normal primitivo". In: KARDEC. *O livro dos espíritos*. Op. cit. p. 112, item 85).

físico é que reflete de maneira obscura, nublada e pálida a realidade desses mundos imponderáveis, nos quais as civilizações do universo revoluteiam e transcendem a capacidade de análise e observação daqueles que creem ser o mundo visível aos seus sentidos o único ou o original.

As mais nobres mentes científicas da humanidade, os mais avançados cálculos da física, da matemática e de outras ramificações da ciência humana já detectaram, em seus laboratórios mais aprimorados, que nada de material e concreto existe no interior dos átomos. A vida material, tal como a concebe o pensamento humano, é apenas uma ilusão, algo que meus irmãos, nas manifestações artísticas a respeito da realidade científica, denominaram *matrix*. Enfim, trata-se do maia, conceito que ensina que o universo tangível a meus irmãos é absoluta e genuinamente impermanente. A matéria é apenas uma oscilação holográfica do pensamento criador, o qual imprime, nas fibras sintetizadas da luz cósmica e sideral, uma alternativa visível para formar um quadro, um panorama no qual as consciências possam se inserir temporariamente a fim de que se descubram por inteiro, descobrindo o próprio Criador no âmago daquilo que creem ser a base de seu mundo holográfico.

O holograma, todavia, desfaz-se por ocasião do descarte biológico final, fazendo com que a consciência se veja lançada numa dimensão muito além daquela onde estava inserida por necessidade de aprendizado. Eis que o homem redescobre o espírito. Como espírito, percebe que seu corpo é apenas o resultado de padrões energéticos que se alternam indefinidamente, entre uma realidade e outra; em outras palavras, a realidade humana é uma realidade quântica. Nada existe de forma duradoura no mesmo lugar. Aquilo que num instante é perceptível aos olhos — os comportamentos, os relacionamentos interpessoais, a vida material, os corpos embelezados com a exuberância da aparência, da juventude e da virilidade — é apenas isto: aparência.

O homem se movimenta em várias dimensões em meio a fluidos, energias e frequências, raios e ondas. Através deles, vê o próprio mundo e a realidade que o cerca conforme o foco e a atenção que sua consciência concentra neles, afinando-se ou sintonizando momentaneamente com algo. Por essa razão, existem vários mundos dentro do mesmo mundo, e nem todos — absolutamente, não todos — estão preparados para enxergar a mesma realidade ou sintonizar com ela. Assim como existem vários mundos dentro do mesmo mundo, ou que extrapolam os limites desse contexto *matrixial*, também existem vários tempos dentro do mesmo mundo. Tudo é apenas uma interpretação, uma oscilação, uma realidade forjada com vistas ao aprendizado e ao despertar das potências das mônadas.

A maioria das pessoas permanece prisioneira da ilusão, do maia, do mapa da vida, interpretando-o e tomando-o como a própria vida. No entanto, há que saber que o mapa é uma ilusão, um desenho, uma representação, e jamais pode ser confundido com o território: a vida em si. Esse mapa ou *matrix* é que alimenta os egos na impermanência dos sentidos, do tempo e da realidade alternativa, o holograma existencial que é sustentado por crenças e emoções das inteligências cativas da estrutura dinâmica que se conhece como elemento material. Para libertar-se dessa ilusão, é preciso sobretudo ter vontade e, em seguida, reprogramar a mente para perceber aquilo que escapa aos sentidos imediatos.

Os chamados padrões vibracionais, constituintes da intimidade da matéria, são o que resta das observações do mundo material. Ou seja, a matéria é ilusão dos sentidos, e a vida material, social, um teatro sustentado pela mente e criado no intuito de que as mônadas, os embriões da vida, redescubram-se e descubram o caminho de retorno ao mundo original; no intuito de que desbravem, ao longo dos milênios e no silêncio do cosmo, o percurso de regresso à espiritualidade, à própria origem e ao mundo primordial.

Inúmeras mentes mais evolvidas, esclarecidas e em constante aprendizado mergulham no mundo ilusório da matéria regularmente, mas tem acontecido isso sobretudo nas últimas 5 ou 6 décadas — isto é, desde os anos 1950, aproximadamente —, com o intuito de desvendar, perante os habitantes das esferas da ilusão material, a realidade quântica, energética e transcendente do universo. A física quântica e a física relativística da atualidade já conseguem antever a realidade do espírito e esses outros mundos, universos e vibrações, cujas frequências já são tênue e paulatinamente detectadas nos laboratórios terrenos. Não há como deter a marcha do progresso, e o mundo caminha inexoravelmente para as fronteiras da espiritualidade.

Perante o avanço de um novo paradigma, cede a falácia dos governos humanos e dos sistemas econômicos — seja do capitalismo, que cria bens, mas não é capaz de distribuí-los satisfatoriamente, seja do comunismo e do socialismo, que alegadamente pretendem distribuir de modo equitativo a riqueza, mas não a conseguem gerar nem manter e, assim, produzem ainda mais miséria e miseráveis. Os sistemas humanos de governo deverão chegar ao máximo de sua inutilidade para que um conceito novo possa surgir e ser gerado. Uma ideia nova, com conteúdo viável e plausível, que substitua um conceito antigo que precisou da ruína de tantos filhos da Terra para subsistir. Rui o antigo mundo nas cinzas das insatisfações humanas enquanto o conceito de espiritualidade sobrepõe-se, atendendo aos anseios de felicidade.

A ciência, conquanto seus avanços louváveis, não consegue responder aos anseios e angústias. A vida de aparente conquistas e liberdade sexual, drogas, permissividade e liberalismo religioso e filosófico mostrou-se incapaz de proporcionar a felicidade e a plenitude. As multidões, perdidas diante de dogmas políticos, existenciais e culturais e de uma suposta religiosidade, assomam às ruas. Demonstram-se cansadas do mundo velho e encetam intestinas revoluções, que somente precipitam ou fazem decretar o fim de uma era calcada nos interesses e na visão material. O ser humano anseia por voos mais altos, e a sociedade e as nações do mundo sentem as dores de um parto, no qual será gerado o homem novo, a nova humanidade. O mundo caminha rumo aos braços da espiritualidade, transcendendo-se, extenuado que está ante os velhos padrões de uma civilização sem civilidade.

Para breve, o homem compreenderá, o cientista descobrirá Deus além das aparências e das cordas do universo quântico. Não tardará em descobrir que Deus e a realidade parafísica constituem o próximo estágio de estudo da ciência, e

Deus finalmente sairá do domínio exclusivo das religiões, que faliram na tentativa de manipular as consciências. Sem a concepção de uma realidade energética, de uma constante multidimensional e da ação de uma mente diretora, o universo não passa de uma inconsistência matemática.

A vida, em todo o universo, será descoberta como uma possibilidade, e não como a realidade única, inexorável. Prevalecerá a ótica mais quântica do mundo e do cosmo, da realidade dos fluidos e das vibrações, das ondas, das cordas, da antimatéria. Enxergar a vida como uma possibilidade quântica fará com que a morte seja vista de maneira diferente de como é hoje. O mesmo se dará com os valores do mundo, que serão revistos e reagrupados segundo um paradigma existencial distinto do atual. A morte passará a ser encarada, então, como o colapso da consciência quando não consegue conceber a realidade quântica de modo mais abrangente e, então, é arremessada por forças descomunais a este universo original, real, a fim de alimentar-se e à sua realidade íntima de elementos consistentes.

A psicologia, enriquecida com novas inspirações, desbravará fronteiras inéditas e irá ao encontro da transcendência, constatando que o ser, a inteligência ou a consciência existe além dos arquétipos conhecidos e estudados na atualidade. Para além dos padrões vitais da existência, decifrará os arquétipos supramentais, supravitais, bem como corpos de manifestação mais abrangentes e sutis até mesmo em relação àqueles atualmente percebidos, estudados e concebidos por meus irmãos cientistas da alma humana. Há corpos absolutamente imateriais; há realidades e padrões absolutamente não mentais, cuja existência ainda não é objeto sequer de observação de muitos detentores do conhecimento, estudiosos da filosofia ou do psiquismo humanos. As estruturas parafísicas ou imateriais perduram, pois vibram e sobrevivem à transformação e à metamorfose da vida e dos elementos materiais. Mesmo as concepções a respeito da mente humana ainda são muito acanhadas e materiais para serem capazes de definir aquilo que é indefinível no vocabulário humano atual e com os recursos puramente ilusórios dos sentidos humanos. Afinal, para penetrar esse universo desconhecido e descrever coisas novas é necessário transcender a realidade cotidiana e utilizar sentidos novos e habilidades psíquicas, com laboratórios devidamente equipados com instrumentalidade parafísica, energética, espiritual.

Para quem alimentou a ideia e elaborou a vida de acordo com a visão de que ela é apenas matéria — e isso vale também para os cientistas mais experientes que assim se portaram —, a realidade da consciência e de um universo quântico pode parecer algo ininteligível ou inconcebível. A ciência e os cientistas engessados no velho paradigma linear não conseguem considerar uma realidade além da material e daquela apreendida pelos sentidos físicos, pois ela é refratária às observações da tecnologia puramente material. Portanto, está posto o dilema, que, como se vê, é paradigmático.

Não obstante, o mundo avança, e o homem de todas as latitudes redescobre o espírito e mergulha na mente divina. A realidade dos fluidos, das energias e de elementos não estritamente materiais, tanto quando da influência da consciência sobre as diversas transformações da matéria, será finalmente o foco da ciência nova, que se ergue sobre o limitado método atual de concepção da vida e do cosmo. A partir daí, surgirão propostas de renovação, novos paradigmas e uma nova abordagem da problemática humana, levando em conta que tudo, afinal, é energia — pura, latente, pujante, vibrante. O universo, por sua vez, é essa energia expandida aqui, condensada acolá, que forma, em diferentes frequências, as diversas dimensões, os universos que se interpenetram, convivem e evoluem rumo ao infinito.

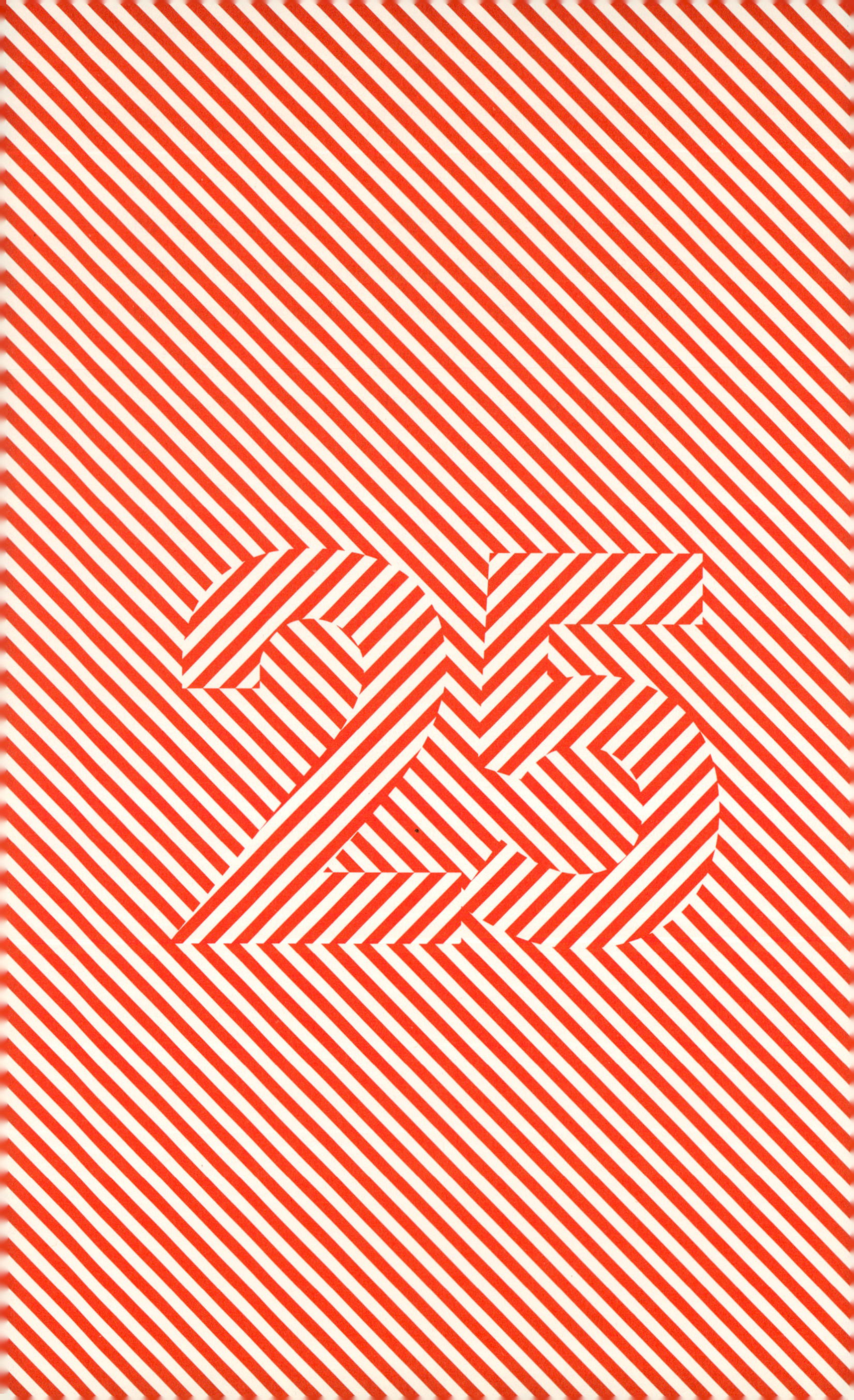

A força da mente nos processos de adoecimento e cura

A MENTE É A BASE de tudo no universo. Há um pensamento que se expressa assim: o universo é a materialização da mente divina. Considerando-se que a mente humana representa Deus dentro do universo orgânico, pode-se estabelecer um paralelo e dizer algo semelhante sobre esse microcosmo. Isto é, que o corpo é a materialização da mente humana, ao passo que o cérebro é o órgão através do qual ela se manifesta e transmite ao corpo o resultado daquilo que está registrado nos bancos da memória espiritual, quântica, esse universo quase desconhecido que a mente humana rege. Desde aproximadamente 400 a. C. Hipócrates já mencionava a influência da mente sobre o corpo.

Tudo que se faz, tudo que se realizou ao longo das experiências reencarnatórias encontra-se registrado indelevelmente nos arquivos mnemônicos localizados numa dimensão não propriamente física, mas na dimensão mental do ser espiritual. A mente age por um processo quântico, e o cérebro atua como médium dela, como porta-voz desses registros imponderáveis, mas reais.

O cérebro recebe as ordens que estão impressas no DNA; este, de certo modo, impregna cada célula com essa memória parafísica, que jamais se engana. Ninguém expressa no corpo algo que já não esteja arquivado na mente, nos bancos de memória deste extraordinário computador feito de matéria mental superior. Saúde e enfermidade, estados emocionais e alterações morfológicas e moleculares, bem como deficiências de qualquer espécie, que resultam em alterações funcionais do organismo ou de parte dele, em sua grande maioria estão relacionados aos processos mentais. Muitas moléstias, enfermidades congênitas, mutilações e doenças incuráveis, as quais certamente fazem parte do programa reeducativo do espírito imortal, como provações necessárias, estão associadas a atos do passado ou a episódios recentes, todos gravados na mente.

Na maioria dos casos, em esmagadora porcentagem, as manifestações patológicas decorrem da mente, são reflexo de registros, pensamentos, atitudes e comportamentos da individualidade. Os reflexos do passado são momentaneamente despejados dos porões da memória, em forma de desajustes, requerendo estudo aprofundado por parte de meus irmãos ligados à área da saúde, em seus variados aspectos. Ao conservar características de emoções desequilibradas do passado recente ou remoto, a mente, mesmo na hipótese de ter se reequilibrado ou se reajustado ao longo da jornada, lança sobre o corpo físico o resultado infeliz ou feliz das experiências vividas. Grande parte de meus irmãos, embora as tantas dificuldades enfrentadas no cotidiano, embora as limitações por vezes sérias que vivenciam, têm êxito ao se reajustar e reeducar. Prosseguem com a maior qualidade de vida possível mediante simples reflexões, mudança de atitude mental e emocional ou, mesmo, uma reviravolta em seus conceitos de vida e na forma de ver e viver a vida.

Quando no corpo físico, a mente está tão intrinsecamente ligada ao corpo que muitos mecanismos transcorrem de maneira completamente inconsciente, ocasionando sintomas que pareçam repentinos, para os quais não se encontra resposta nem motivo clínico. Ocorre que as estruturas que margeiam as dimensões do organismo humano — tais como sistema nervoso, meridianos e *nadis* — são canais através dos quais a mensagem da mente é transmitida ao corpo, a partir de registros que se expressam no cérebro. Como a mente gera energias o tempo inteiro, esse processo torna-se muito dinâmico. Por isso se diz, em nossa dimensão, ao estudarmos os efeitos da mente sobre o corpo, que a linguagem do corpo jamais falha.

Muitas enfermidades, que poderiam ser enfrentadas em outras ocasiões, até mesmo em existências futuras, da maneira mais branda possível, não são postergadas porque se relacionam a crenças, medos e autopunições que enodoam a mente ou o inconsciente e tornam visível, no corpo, seu efeito. Meus irmãos devem ficar atentos quando detectarem crenças duradouras e emoções recorrentes que denotem uma programação de infelicidade. Quando esta é admitida e registrada na memória, na mente, nos porões do inconsciente, fatalmente acarreta resultados infelizes. O outro lado dessa realidade é que ela não é inexorável; pelo contrário, seus efeitos podem ser alterados ao mexermos na origem, isto é, no padrão mental. Ao revisar e reprogramar ideias, enfrentar e reajustar emoções, projetam-se novos impulsos no veículo de manifestação da consciência. Afinal, o corpo é como uma grande tela onde a mente, o inconsciente, projeta as emoções cultivadas pela própria pessoa. Seria desnecessário mencionar, então, o poder de hábitos e crenças limitadores, castradores e comprometedores, que liberam energias e determinam limitações que se corporificam no organismo físico e espiritual.

Dentro dessa realidade, dessa visão orgânica do universo humano, é natural pensar — e a experiência comprova este fato — que a mente associa cada órgão a um gênero de emoção e cada enfermidade a um desequilíbrio emocional equivalente. Levando-se essa associação em conta, pode-se ter uma pista para proceder à reprogramação da mente, ao redirecionamento e à recomposição das emoções, muito embora ninguém possa evitar o enfrentamento das consequências de seus atos passados, os quais se materializam nos corpos físico e psicossomático como elemento promotor de reparação e reeducação.

A ligação da mente com o corpo, já sugerida e teorizada há milênios, apenas é admitida na recente história da medicina, ainda que com reservas, por parte de alguns.

Mas esse nexo mente-corpo pode ser entendido como uma via dupla, de sentidos opostos. Se a mente influencia o corpo, também é verdade que o corpo influencia a mente. Muitas situações se dão em nível inconsciente, mas o cérebro e a mente as percebem e, assim, reagem constantemente aos estímulos do corpo. O estudo dessas conexões pode trazer muita luz sobre inúmeros problemas aflitivos de meus irmãos, tanto quanto ajudar a encontrar respostas a certos questionamentos, que deixam alguns profissionais da medicina sem esclarecimento satisfatório.

Examinemos uma situação prática. A forma

de interagir em sociedade, de se relacionar com os outros, de sentar, levantar, lidar com as coisas à volta, até mesmo itens de vestuário, como roupas, calçados e o que mais está ao redor — enfim, o mundo ecológico e pessoal —, tudo influencia a mente poderosamente. Isso ocorre porque tudo é energia, tudo vibra e vive, e cada objeto, ainda que seja coisa, é dotado de vida e responde à maneira como é tratado por meus irmãos. Da mesma forma, o modo como meus irmãos tratam os objetos ao redor reflete suas emoções e sua identidade energética. Fato é que as energias secretadas pela mente influenciam os fluidos do corpo e, por conseguinte, do ambiente em torno, conferindo-lhes propriedades salutares ou enfermiças de acordo com a qualidade de emoções e pensamentos, reações e atitudes de meus irmãos. O jeito como o homem lida com as emoções afeta poderosamente sua mente.

Imaginemos alguém com reações emocionais explosivas e dificuldade de aceitar o mundo como realmente é, dando vazão à rebeldia ou à raiva. Sua mente, por meio do cérebro, derramará sobre o sistema nervoso o excesso de energias geradas por suas atitudes, com consequências evidentemente penosas, neste caso. Uma vez que tudo é vida e tudo age e reage a partir da ação da mente, a coluna cervical provavelmente responderá com inflamações e dores, dado que as vértebras se preenchem de fluidos daninhos, causando incômodos variados. O estômago passará a se ressentir dos ataques constantes de raiva ou ira. O sono desmedido ou a sensação de sono insuficiente aparecerá como fuga ou resultado da rebeldia a mudanças, da dificuldade desse indivíduo em perceber que erra tanto quanto os demais, bem como da exigência de que os outros a sua volta façam aquilo que meu irmão não consegue fazer por si só. Além disso, a imunidade se mostrará cada vez mais baixa, com quedas constantes, à medida que os acessos de raiva também se tornam constantes. Enfim, tanto quanto a mente se reflete no corpo, o corpo e os comportamentos se refletem na mente.

Em outro contexto, a situação de insatisfação de meu irmão consigo mesmo e com o ambiente e as pessoas à volta influencia também o trabalho que realizam, os resultados obtidos e a satisfação que experimentam. Pessoas complicadas dão origem a um ambiente de trabalho e à convivência com complicações, pois transmitem aos demais os desajustes que são albergados dentro de si.

A mente nunca falha, e o corpo e o mundo à volta respondem sempre de acordo com os sentimentos, as emoções, as satisfações e insatisfações que desenvolvemos em nós. Cada qual transita, trabalha e vive no ambiente que construiu para si — e dentro de si. É isso que determina o céu ou o inferno de cada um. Por trás de tudo, a mente comanda o universo da alma e do corpo, o cosmo à nossa volta. Se a pessoa mudar sua perspectiva, mudará seu mundo. Se mudar sua mente, seu corpo mudará bruscamente, refletindo considerações, reflexões e devaneios da própria alma.

Como se pode ver, mudar, modificar seu ponto de vista e chegar à conclusão de que é necessário meditar e tomar decisões emergenciais acerca de sua maneira de ver o mundo e as pessoas não é questão puramente terapêutica, mas sobretudo de inteligência. Tudo o que meus irmãos realizam no mundo íntimo se reflete em doses mais ou menos intensas no mundo a seu redor, começando em si mesmos, em seu veículo de manifestação no mundo físico.

Por que a cura não aconteceu?

NEM SEMPRE conseguimos fazer tudo que queremos. Esta é uma realidade em qualquer dimensão do universo. Primeiramente, porque existem precedentes que não podem ser simplesmente ignorados. Depois, existem leis que não foram feitas por nós, meros espíritos em aprendizado, mas aí estão, inseridas no contexto do universo, como forma de reparação e reeducação, como uma estrutura que faz com que a dor seja um elemento que impulsiona o ser em desequilíbrio ao caminho da harmonia. A dor é a lei que entra em ação quando os apelos do amor e da razão não foram ouvidos pelos habitantes de qualquer esfera do universo.

Tomada a dor sob esse prisma, não como uma punição ou castigo, mas como agente ao qual compete trazer a parte desarmônica ao ponto de equilíbrio, é forçoso concluir que nem sempre curar é sinônimo de ajudar. E muito menos ajudar ou socorrer, no conceito religioso — isto é, enchendo-se de pena, comiseração e tomando a dor do outro para si —, equivale a educar.

Urge desenvolvermos um olhar mais profundo sobre as necessidades humanas. Ninguém, nenhuma consciência no universo sofre desmerecidamente, como se derrogada a justiça. Mas isso também não significa que quem sofre seja um criminoso reencarnado. De um lado, porque sempre há a primeira vez no histórico de meus irmãos. De outro, não podemos descartar a possibilidade de dado evento ser mesmo um incidente, alijado de qualquer fator de demérito ou resgate expiatório. Nem tudo é programado; nem toda dor é resgate ou expiação.

Cabe, inclusive, avaliar nosso conceito sobre a dor humana. É comum meus irmãos espiritistas avaliarem que todo problema enfrentado por seus companheiros de humanidade seja reflexo do passado individual, que tendem a julgar nebuloso. Pensam frequentemente, meus irmãos das doutrinas espiritualistas, que todo crime e que toda dor infligida a alguém guardam relação com algum crime perpetrado pela suposta vítima em seu histórico espiritual, em outra reencarnação. Na hipótese de aceitarmos essa ideia como razoável, fatalmente o raciocínio levará a uma dedução irreal e absurda. Se porventura a dor provocada a meus irmãos por meio de alguma violência ou incidente é toda ela consequência de um ato pretérito e denota um resgate reencarnatório, então se chegará à conclusão de que o agressor ou criminoso foi um instrumento de Deus e do universo para fazer a pessoa "pagar" pelo mal que perpetrou um dia. Tal pensamento é infundado em todas as suas nuances, tanto ao se generalizar o fator dor como punição estritamente ligada a uma atitude pregressa, quanto por sua decorrência lógica, que é pintar um Deus menos inteligente do que o ser humano, como se não dispusesse de outra forma de promover a reeducação do espírito que não a punição e a dor.

Muitos sofrem por falta de inteligência, por falta de planejamento e por imprevidência, tanto quanto muitos morrem sem que a morte tenha sido planejada para aquele momento. Muitos sofrem dores desnecessárias, que não estão subordinadas a seu passado, mas à falta de prudência e sabedoria da pessoa ao administrar sua vida e sua trajetória no mundo, pois adota caminhos desnecessários e gera, ela própria, na existência atual, os malefícios dos quais reclama e que classifica como sofrimento.

Grande número de eventos que chocam meus irmãos são desencadeados simplesmente porque há espíritos que são atrasados ou maus, no verdadeiro sentido do termo. Não serão assim eternamente, é óbvio, mas é ingênuo negar que existam criaturas assim. Trata-se de criminosos de índole violenta, espíritos primitivos, os quais agem sem razão; tão somente canalizam a violência que exalam para pessoas que não a merecem nem sequer fizeram algo que justificasse serem suas vítimas. Por mera proximidade, estes tornam-se alvos da periculosidade desmedida de seres primitivos, que foram inseridos no contexto social para se reeducarem. Intentar explicar o sofrimento de todas as vítimas de crimes hediondos como punição pelo passado equivaleria a desrespeitar a dor da família e da pessoa, de alguma forma dizendo que a criatura, afinal, merecia o destino que encontrou. Isso beira a estupidez e a falta de consideração com a dor do próximo.

Culpar a vítima por agressões desse gênero, tomando-a como meliante do passado remoto, ressurgido em novo corpo, é reeditar a lei de Moisés, que prescrevia o princípio do "olho por olho, dente por dente".[1] Ademais, a lei divina não determina que o mal seja corrigido com dor ou com um mal maior. Isso seria postular que a divina lei é tão falha e limitada quanto as leis humanas. Revela, ainda, crueldade semelhante à que diversos espiritualistas demonstram ao considerar os chamados justiceiros — verdadeiros agentes da *in*justiça, que pretendem fazer justiça com as próprias mãos — como agentes de Deus ou da justiça superior. Só existe uma moeda através da qual se aceita, no universo, o pagamento de qualquer débito: é a lei do amor, de modo que a criatura possa se redimir fazendo o bem ao próximo,

[1] Ex 21:24. Cf. Mt 5:38-42.

seja no trabalho profissional ou voluntário, levando benefício a quem ela agrediu ou fez sofrer.

À parte esse ponto, existem casos em que a pessoa sofre as limitações oriundas de processos registrados em seu currículo espiritual, as quais se refletem no corpo físico, nas emoções e nas profundezas do inconsciente, determinando o reajuste perante a divina lei. No que respeita a esses casos, não se pode fazer tudo por ela, uma vez que a ajuda deve estar subordinada à programação cármica, à programação reencarnatória, algumas vezes escolhida pela própria pessoa no período de aprendizado ocorrido no intervalo entre vidas. Essa programação, caso seja alterada por alguém durante um surto de caridade — comum a meus irmãos religiosos —, tende a causar prejuízo apreciável no processo reeducativo de quem busca tratamento. Muitas outras vezes, as dificuldades orgânicas e certas limitações impostas por alguma enfermidade ou males congênitos obedecem ao planejamento dos benfeitores espirituais. Trata-se de um recurso visando à educação do espírito que reclama determinado aprendizado, além de tais fatores atuarem como barreiras que impedem males maiores ou desastres que agravassem o quadro já daninho.

Portanto, devidamente considerados os aspectos individuais, podemos levar a efeito exclusivamente aquilo que não fira o programa de vida preparado antes da reencarnação de meus irmãos. Ultrapassar esse limite equivaleria a pôr em risco tudo o que foi planejado e preparado para aquele contexto reencarnatório.

A solução para fatores desse tipo não depende de nós, espíritos, mas exclusivamente da pessoa sujeita a tais limitações, pois se relaciona à mudança de visão da vida, às reflexões e deliberações de foro íntimo. Desenvolver ou aprimorar tais capacidades é, afinal de contas, uma das finalidades da reencarnação e da imersão do espírito no contexto social, econômico e religioso.

Quanto a seu objetivo, tais desafios aproximam-se das enfermidades persistentes a qualquer tipo de tratamento: todos são fatores limitadores, que não podem ser sustados; constituem uma espécie de aprendizado cuja grade curricular foi desenvolvida de modo intimamente ligado ao aproveitamento do aluno nas lições até ali.

Em alguns casos, o alvo prioritário é a família, que precisa aprender as lições que a vida lhe conduz, tendo como intermediária a pessoa que, aparentemente, é o alvo do sofrimento. Quando o objetivo é a família, de modo geral a pessoa acometida pela enfermidade ou deficiência desenvolve uma serenidade, enfrenta os próprios desafios com altruísmo e compreensão inesperada por muitos, ao passo que a família parece se ressentir mais intensamente do fato de abrigar alguém com tal gênero de enfermidade castradora.

Quando casos como esses são trazidos aos espíritos, procura-se fazer um diagnóstico que conte com a presença do espírito que gerenciou o processo de reencarnação do indivíduo aparentemente envolvido em sofrimento ou revolta. Em conjunto, decide-se pela terapia mais adequada àquela alma, que reclama reajuste com a própria consciência. De modo geral, muita gente é conduzida a reuniões de tratamento espiritual porque carece mais ouvir sobre o Evangelho e refletir acerca de sua vida mental e emocional, e menos de uma intervenção cirúrgica ou energética de maior intensidade. São os orientadores da reencarnação do consulente que compartilharão conosco, os espíritos que somos apenas instrumentos da Divina Providência, as necessidades reencarnatórias daquele que busca auxílio.

É fácil compreender por que nem todos são curados, nem todos precisam ser curados e nem todos podem ser curados da forma como meus irmãos imaginam e desejam. Existem variáveis no histórico de cada criatura, e tais variáveis devem ser analisadas e consideradas, senão corre-se o risco de liberar um espírito de amarras que o contêm, deixando livre aquele que poderia incorrer num mal maior.

Como se viu, certos fatores limitadores impostos pela lei da reencarnação são correntes para alma; outros são fatores de aprendizado e objetivam reajustes. Outros, ainda, são escolhas próprias, visando ensinar ou ser instrumento de aprendizado para aqueles que rodeiam quem está sujeito às limitações do corpo não funcional. Por todas essas razões, uma reunião de cura deve primar, a meu ver, principalmente pela cura da alma, e o melhor remédio e tratamento para isso é sempre o Evangelho — bem entendido, vi-

vido e visto como recurso terapêutico por excelência. Os demais recursos são consequência ou acréscimo da misericórdia divina para aqueles que extraíram algum proveito das lições da vida.

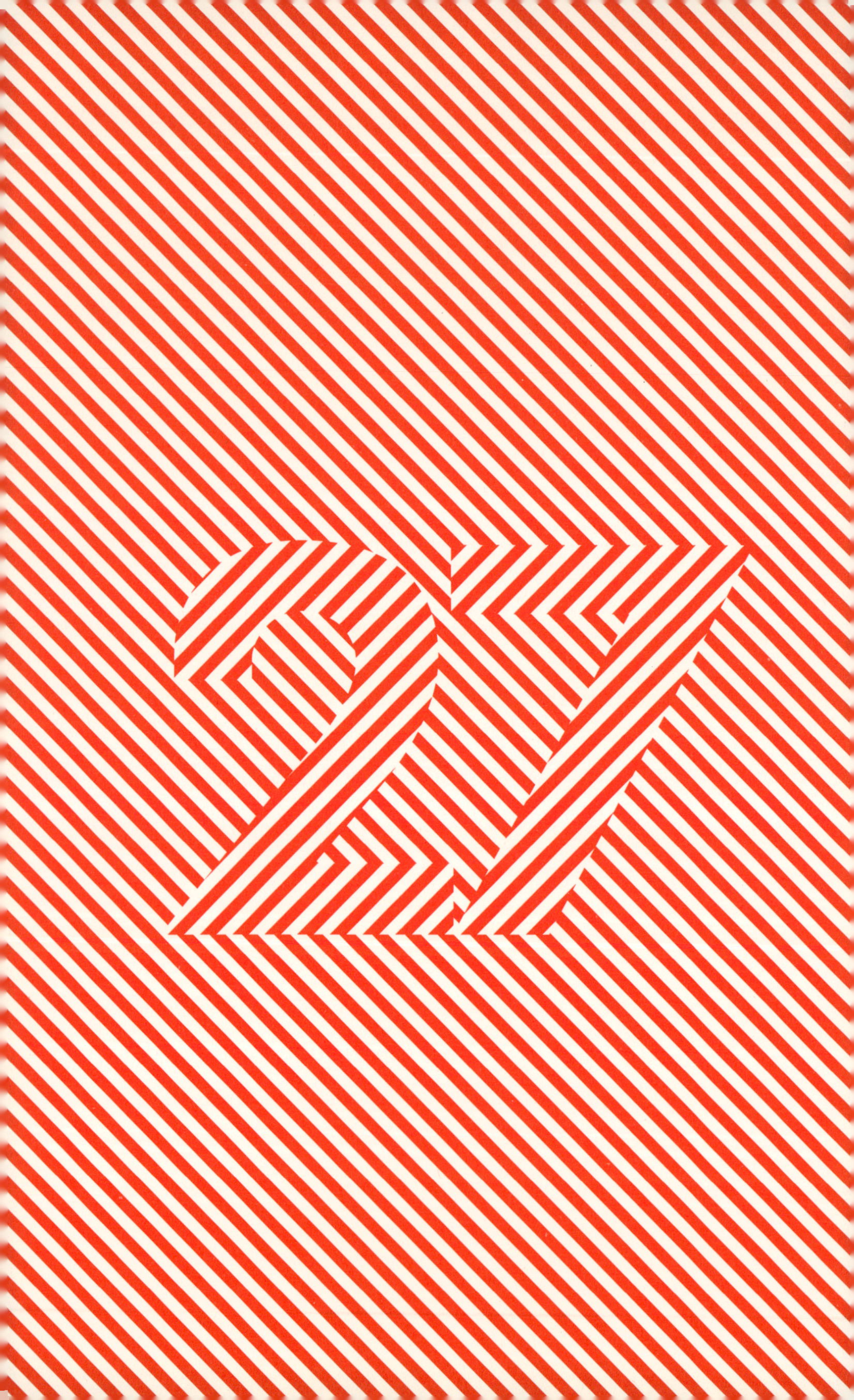

Quando as crenças desencadeiam enfermidades ou promovem a cura

QUANDO ABORDAMOS a cura ou o tratamento espiritual com os recursos da medicina do Além ou da ciência extrafísica, temos de considerar uma espécie de biologia das crenças de cada um de meus irmãos. Segundo nossas observações, muita gente que se diz curada ou que foi beneficiada pelo tratamento espiritual, ou mesmo pelo tratamento de ordem energética ou física, volta ao adoecimento após algum tempo decorrido. Outras conseguem estabelecer um período de pacificação interna dos problemas que desencadearam as enfermidades. Então, podemos deduzir que existe uma espécie de construção das crenças que define os estados de saúde e de enfermidade das pessoas.

Há algo que merece estudo por parte de

meus irmãos espíritas, especialmente por quem almeja o posto ou se considera médium de cura, bem como por meus irmãos que exercem a medicina como profissão ou têm carreiras na área da saúde. Diz respeito aos fatores envolvendo todo tipo de tratamento, desde cirurgias, sejam elas espirituais ou não, até terapias regulares, como as drogas alopáticas, de origem puramente física, passando ainda por remédios energéticos, homeopáticos, antroposóficos, fitoterápicos etc. Nem sempre, de acordo com nossas observações de estudioso, a cirurgia e a terapia medicamentosa, de quaisquer gêneros, consistem nos melhores caminhos ou nos instrumentos mais eficientes para abordar os problemas daqueles meus irmãos que reclamam sofrimento. O mesmo vale para tratamento espiritual: ministrá-lo não traz garantia de que o enfermo será curado, nem tampouco que a cura seja o melhor para ele. Principalmente quando consideramos as crenças internas, as ideias, as opiniões e as matrizes mentais que desencadeiam processos de adoecimento.

Ante nossas modestas observações, coincidentes com recentes descobertas de alguns estudiosos, não são somente hormônios, informações genéticas e alguns outros elementos que ativam os neurotransmissores e processos químicos determinantes dos estados de saúde ou enfermidade. Muito além desses aspectos, está a influência da mente, com as crenças arquivadas e em constante ebulição. Não somente isso: as crenças que jazem nos padrões mentais desencadeiam, determinam e sustentam estados modificados da saúde, promovendo desastres orgânicos. Meus irmãos, prisioneiros de crenças que alimentam traços como medo, culpa, covardia e raiva, cativos de certo modo de agir e reagir ao meio e às pessoas, predispõem o organismo a determinadas condições, de tal sorte que variadas enfermidades se estabelecem, muitas das quais não programadas nem alicerçadas numa necessidade cármica. Muitas enfermidades surgem, de fato, sem necessidade pedagógica, mas como resultado de ideias programadas na atual existência. Originam-se de uma forma de vida interna marcada por ideias fixas, comportamentos recorrentes e outras manias que são o resultado de crenças do indivíduo.

Todo tipo de crença, de ideia estabelecida e aceita pela mente desencadeia uma reação correspondente no corpo ou no psicossoma. O pensamento e as crenças, como ideias concebidas, mantidas e formatadas no âmago do ser, determinam a qualidade de vida emocional e física de meus irmãos. Cada crença desencadeia uma sensação, uma reação ou um estado modificado no organismo, sem falar que não apenas as funções orgânicas mas também o ambiente onde a pessoa vive são ajustados e programados em consonância com as crenças.

Sendo assim, retomamos o tema inicial, do êxito dos tratamentos. Enquanto não for abordada a questão das crenças, da maneira de pensar e da necessidade de reorganizar emoções e mente, não podemos dizer que ocorreu uma cura definitiva, genuína, duradoura. Quando muito, pode haver uma reação física a uma ação externa, patrocinada por espíritos, médicos e a medicina humana e mesmo por tratamentos energéticos. Não obstante, a cura somente ocorrerá de fato quando a pessoa reelaborar ou ao menos refletir sobre sua maneira de ver a vida e o mundo, enfim, de ver a si própria e considerar suas atitudes mentais, suas reações ao meio, às pessoas e às situações. Do contrário, a chamada cura não passará de um esparadrapo fadado a cobrir, por um tempo mais ou menos longo, a ferida de onde escoa o fluido mórbido. Mas este virá novamente à tona, por outros caminhos e outras vias, pois a gênese do problema não foi abordada.

Realizar uma reunião de tratamento, um trabalho de cura ou qualquer outro processo terapêutico sem as devidas incursões pelo campo mental e emocional, sem que o consulente ouça algo que o desperte e o estimule a realizar mudanças mais profundas, internas, significa mirar resultados apenas superficiais. É essencial dirigir-se à necessidade de reavaliar sua maneira de lidar com o mundo, suas crenças castradoras e limitadoras, bem como buscar estabelecer uma relação entre as ideias e emoções e as reações desencadeadas no organismo físico. A fim de cumprir tal objetivo, é possível recorrer a um atendimento ou acompanhamento emocional, a uma palestra, minimamente; enfim, a alguém que saiba sensibilizar o consulente para a mudança.

Precisamos insistir nesse ponto a despeito de o consulente não estar disposto, na maioria das vezes, a ouvir e refletir sobre questões de ordem mais profunda. Devemos persistir, mesmo que ele busque a cura imediata e evite temas e questões que lhe são incômodos, que o compelirão a enfrentar a realidade de que, em regra, ele próprio é quem desencadeia estados internos e externos classificados como enfermidade.

Um trabalho que se dedica a tratar os irmãos da esfera física precisa ser alicerçado no fato de que o homem não se resume ao corpo físico. É imperativo que o tratamento corresponda, na prática, àquilo em que meus irmãos dizem acreditar: que o homem é um ser integral. Sob esse aspecto, é inescapável abordar a questão da educação do pensamento, da pedagogia da dor nos processos do despertar da consciência e outros fatores do gênero, todos de suma importância. Uma abordagem que vise apenas à cura do corpo, na verdade, não cura jamais.[1] Considera o

[1] Muitos enxergam na história dos dez leprosos a ilustração desse princípio, já que o relato bíblico dá margem para interpretar que nove dos

ser humano apenas como um fragmento da realidade; não o vê em sua totalidade.

Quando nos referimos ao Evangelho como roteiro para os irmãos que nos procuram, estamos nos referindo a seu conteúdo terapêutico, ainda que muitos o vejam como instrumento de coibição moral ou como norma religiosa. Há até os que fomentam, a partir da interpretação que dão ao Evangelho, um assistencialismo paternalista, que recebe o enfermo como sofredor e perpetua esse seu papel. Em hipótese pior, veem-no como vítima do passado, da reencarnação, dando vazão, assim, a um dos maiores despautérios diante da dor alheia. Acolher, sim; consternar-se e passar a mão na cabeça, jamais. Educar, eis a meta, que é bem diferente de alimentar crenças simplistas, úteis apenas à explicação pueril da dor alheia.

De que adianta justificar que o problema existencial ou a enfermidade de alguém é resultado de seu passado nebuloso? Que isso acrescen-

dez beneficiados pela cura momentânea, na verdade, não se redimiram nem se modificaram (cf. Lc 17:17-18).

O trabalho dos espíritos no tratamento espiritual

EM TODO TIPO de tratamento no qual há o propósito sincero de auxiliar a humanidade, seja ele de caráter profissional, com os diversos representantes da área da saúde, seja de ordem energética ou espiritual, os espíritos contribuem diretamente, envolvem-se e inspiram a todos que estejam imbuídos de responsabilidade. Isto é, não nos atemos aos centros espíritas, tampouco nos importamos com as barreiras religiosas criadas ou mantidas pela ignorância humana e pelas pretensões de pureza doutrinária. Deixamos assuntos de sectarismo para quem queira perder tempo. Para nós, é o bastante que as pessoas estejam sintonizadas com o bem e com o trabalho de Cristo.

Caso fôssemos nos manifestar apenas em centros espíritas, meus irmãos teriam de convir que nosso trabalho seria muitíssimo restrito e que grande parcela da humanidade seria deixada de lado, pois na maioria dos países do mundo as pessoas jamais ouviram falar em espiritismo. Portanto, utilizamos pessoas de boa vontade, médicos e terapeutas sintonizados com o bem da humanidade, apesar de muitos deles se dizerem ateus ou sem religião, pois rejeitam a forma como lhes são apresentadas as propostas religiosas e estão cansados de quem se vale de certas meias-verdades para se autopromover. Não nos importa; trabalhamos onde há desejo de auxiliar a humanidade, e isso nos basta.

Tanto em casas espíritas fundamentalistas, ortodoxas, como em centros umbandistas, esoteristas, clínicas de saúde mental e emocional, hospitais e consultórios encontram-se espíritos comprometidos com o bem. Não nos interessa a forma como os médiuns nos descrevem perante seus parceiros de trabalho. O que é mais importante não é a forma como somos interpretados, mas o trabalho que logramos realizar.

Muitas vezes, espíritos elevados, ao atuarem na umbanda, foram descritos como caboclos com penas douradas ou prateadas, numa alusão à aura de tais entidades, conforme a linguagem simbólica dos nossos irmãos. Em certas ocasiões, já fomos descritos como mestres iluminados em templos esotéricos e universalistas; em outras, apenas como vultos percebidos por médicos e agentes da saúde, quem sabe como intuições captadas por eles ou, simplesmente, como uma ideia vaga que lhes assomou à memória no momento de tratar seus pacientes ou clientes. Com efeito, não nos importa a forma como somos percebidos e pressentidos ou como nosso pensamento é captado; desde que possamos auxiliar em nome do eterno bem, assim continuaremos fazendo o que foi programado pela Divina Providência. O foco é a humanidade, e a meta é o auxílio incondicional aos meus irmãos.

Examinemos um aspecto em particular. Muitas vezes, precisamos de médiuns doadores de energia, de ectoplasma. No entanto, aqueles que se consideram mais certinhos e em sintonia com as forças do bem não assentem em nos servir como instrumentos, devido a limitações religiosas, a sua formatação doutrinária ou ao absurdo do preconceito religioso ou racial — sim, pois existe preconceito também em relação a espíritos. Assim, trabalhamos com os instrumentos que temos à disposição. Não tão santos nem tão resolvidos e, muito menos, tão esclarecidos, mas sobretudo dotados de boa vontade ou vontade de ajudar. Até certo ponto, suprimos também possíveis deficiências em relação a boa vontade, coração e generosidade naqueles que atuam como médiuns. Nem tudo é perfeito e, se fôssemos aguardar médiuns dispostos a servir que atendam a uma concepção de perfeição ou santidade, que tenham feito a famigerada reforma íntima, por certo nem sequer teríamos começado nosso trabalho. Até porque, entre os espíritos de minha esfera de ação, todos somos ainda humanos, no verdadeiro sentido do termo. Temos nossas limitações e imperfeições, como meus irmãos da esfera física.

Essa realidade faz com que procuremos homens de boa vontade e trabalhemos visando atenuar o sofrimento, limpar energeticamente ambientes umbralinos, contando com aqueles de que dispomos. Utilizamos médicos e outros profissionais, inspirando-os a auxiliar os que sofrem, mesmo reconhecendo que nem todos são instrumentos adequados, mas são os que temos — e não podemos deixar de auxiliar por causa da ineficiência ou falta de compostura de alguns.

Trabalhamos unidos num propósito humanitário. Para isso, estabelecemos parcerias com pais-velhos e mães-velhas, com espíritos que se apresentam como caboclos e como guardiões, em suas diversas especialidades, pois, unidos, podemos muito mais. Atingimos corações e despertamos emoções às vezes disfarçados como pai-velho ou na roupagem fluídica de uma mãe-velha, mesmo que nunca tenhamos tido experiência reencarnatória entre os povos que eles representam. Mas que importam os recursos externos se podemos com eles atingir os corações e despertar a fé? Esses espíritos, que se apresentam numa feição menos ortodoxa e fora dos padrões aclamados por fundamentalistas espiritualistas, muitas vezes são muito mais acessíveis do que espíritos espíritas, digamos assim, que forjaram seu método num contexto doutrinário exclusivo e, não raro, são adeptos de certas teorias e conservam algum nível de preconceito, mesmo depois de desencarnados. Não podemos perder tempo, pois a hora de trabalhar é agora. Urge que a Terra seja transformada e preparada para uma nova civilização que emerge das cinzas da antiga, sem as limitações próprias dos velhos homens e da velha humanidade.

Por que criar barreiras? Por que os preconceitos ainda arraigados? Todos não somos humanos e filhos do mesmo Pai? Trabalhemos unidos, com a certeza de que na caminhada as diferenças serão aplainadas, como os caminhos que conduzem ao coração do Pai e do universo. Trabalhemos, sem a pretensão de agradar quem quer que seja ou de acertar sempre. Trabalhemos dando-nos as mãos, independentemente da formação social, psicológica e religiosa ou da procedência cultural e étnica.

A grande convocação feita por Cristo a fim de promover a renovação da Terra não teve como alvo apenas espíritas, espiritualistas e membros deste ou daquele grupo, de qualquer natureza. Ao contrário, foi feita a todos os homens, de toda a humanidade. Não foi direcionada apenas aos espíritos espíritas, mas aos espíritos da Terra. Os espíritos que dirigem os destinos da humanidade, bem como aqueles que atuam sob a sua tutela, trabalham diligente e diuturnamente. Sabemos que temos um tempo muito curto para colher os frutos de milênios de sementeiras e apresentá-las ao senhor dos mundos como tributo de gratidão e como oferta ao seu coração generoso, pelas inúmeras bênçãos e oportunidades de aprendizado concedidas a nós, espíritos comprometidos com a humanidade.

Além do cérebro

EPÍLOGO

ALÉM DO CÉREBRO, além do corpo, além da matéria e da vida orgânica, outras vibrações, ondas, frequências e dimensões existem, vibram e interagem no cosmo, num maravilhoso espetáculo de coexistência pacífica. Somente os manipuladores, os políticos da miséria humana, os que se mantêm na retaguarda do mundo velho e das velhas crenças de uma ciência retrógrada é que teimam em ver a vida diminuta, restrita, confinada à matéria. Além do cérebro, o mundo mental; além do corpo e das reações químicas, a vida emocional. Além do físico, dos músculos e nervos, o espírito imortal. Muito além das perspectivas limitadas de abordar a saúde humana, a ciência do espírito. E além de tudo isso, de todas as concepções filosóficas, de todas as crenças e de todas as ciências, Deus.

Pela primeira vez, nesta obra, a Casa dos Espíritos oferece conteúdo digital extra, que consiste em 4 capítulos inéditos. Para ter acesso a esse conteúdo exclusivo, acesse o endereço abaixo e faça o *download* gratuito:

www.casadosespiritos.com/aalmadamedicina

REFERÊNCIAS BIBLIOGRÁFICAS

BÍBLIA de referência Thompson. Tradução de João Ferreira de Almeida Corrigida e Fiel. São Paulo: Vida, 1995.

BÍBLIA Sagrada. Tradução de João Ferreira de Almeida Revista e Atualizada. Barueri: Sociedade Bíblica do Brasil (SBB), 2000.

KARDEC, Allan. *O livro dos espíritos*. 1ª ed. esp. Rio de Janeiro: FEB, 2005.

_____. *O livro dos médiuns ou guia dos médiuns e dos evocadores*. 1ª ed. esp. Rio de Janeiro: FEB, 2005.

PINHEIRO, Robson. Pelo espírito Joseph Gleber. *Além da matéria*: uma ponte entre ciência e espiritualidade. 10ª ed. rev. Contagem: Casa dos Espíritos, 2011.

SOBRE O AUTOR

Foto / Leonardo Möller

ROBSON PINHEIRO é mineiro, filho de Everilda Batista. Em 1989, ela escreve por intermédio de Chico Xavier: "Meu filho, quero continuar meu trabalho através de suas mãos". É autor de mais de 40 livros, quase todos de caráter mediúnico, entre eles *Medicina da alma* e *Consciência*, também do espírito Joseph Gleber. Fundou e dirige a Sociedade Espírita Everilda Batista desde 1992, que integra a Universidade do Espírito de Minas Gerais. Em 2008, tornou-se Cidadão Honorário de Belo Horizonte.

OBRAS DE ROBSON PINHEIRO

PELO ESPÍRITO JÚLIO VERNE

2080 [obra em 2 volumes]

PELO ESPÍRITO ÂNGELO INÁCIO

Encontro com a vida

Crepúsculo dos deuses

O próximo minuto

Os viajores: agentes dos guardiões

COLEÇÃO SEGREDOS DE ARUANDA

Tambores de Angola

Aruanda

Antes que os tambores toquem

SÉRIE CRÔNICAS DA TERRA

O fim da escuridão

Os nephilins: a origem

O agênere

Os abduzidos

TRILOGIA O REINO DAS SOMBRAS

Legião: um olhar sobre o reino das sombras

Senhores da escuridão

A marca da besta

TRILOGIA OS FILHOS DA LUZ

Cidade dos espíritos

Os guardiões

Os imortais

SÉRIE A POLÍTICA DAS SOMBRAS

O partido: projeto criminoso de poder

A quadrilha: o Foro de São Paulo

O golpe

ORIENTADO PELO ESPÍRITO ÂNGELO INÁCIO

Faz parte do meu show

COLEÇÃO SEGREDOS DE ARUANDA

Corpo fechado (pelo espírito W. Voltz)

PELO ESPÍRITO TERESA DE CALCUTÁ

A força eterna do amor

Pelas ruas de Calcutá

PELO ESPÍRITO FRANKLIM

Canção da esperança

PELO ESPÍRITO PAI JOÃO DE ARUANDA

Sabedoria de preto-velho

Pai João

Negro

Magos negros

PELO ESPÍRITO ALEX ZARTHÚ

Gestação da Terra

Serenidade: uma terapia para a alma

Superando os desafios íntimos

Quietude

PELO ESPÍRITO ESTÊVÃO

Apocalipse: uma interpretação espírita das profecias

Mulheres do Evangelho

PELO ESPÍRITO EVERILDA BATISTA

Sob a luz do luar

Os dois lados do espelho

PELO ESPÍRITO JOSEPH GLEBER

Medicina da alma

Além da matéria

Consciência: em mediunidade, você precisa saber o que está fazendo

A alma da medicina

ORIENTADO PELOS ESPÍRITOS

JOSEPH GLEBER, ANDRÉ LUIZ E JOSÉ GROSSO

Energia: novas dimensões da bioenergética humana

COM LEONARDO MÖLLER

Os espíritos em minha vida: memórias

PREFACIANDO

MARCOS LEÃO PELO ESPÍRITO CALUNGA

Você com você

CITAÇÕES

100 frases escolhidas por Robson Pinheiro

1ª edição | junho de 2014 | 8.000 exemplares
2ª reimpressão | outubro de 2014 | 2.000 exemplares
3ª reimpressão | junho de 2016 | 2.000 exemplares
4ª reimpressão | junho de 2018 | 1.000 exemplares
5ª reimpressão | outubro de 2020 | 1.000 exemplares

CASA DOS ESPÍRITOS EDITORA
Rua dos Aimorés, 3018, sala 904
Belo Horizonte | MG | 30140-073 | Brasil
Tel.: +55 (31) 3304-8300
editora@casadosespiritos.com.br
casadosespiritos.com

EDIÇÃO, PREPARAÇÃO E NOTAS
Leonardo Möller

CAPA, PROJETO GRÁFICO E DIAGRAMAÇÃO
Andrei Polessi

REVISÃO
Laura Martins

IMPRESSÃO E ACABAMENTO
PlenaPrint

Dados Internacionais de Catalogação na Publicação (CIP)
(Câmara Brasileira do Livro, SP, Brasil)

Gleber, Joseph (Espírito).
A alma da medicina / pelo espírito Joseph Gleber ;
[psicografado por] Robson Pinheiro. – Contagem, MG :
Casa dos Espíritos Editora, 2014.
Bibliografia.

ISBN 978-85-99818-32-9

1. Cura pelo espírito e Espiritismo 2. Espiritismo 3. Holismo
4. Medicina holística 5. Psicografia I. Pinheiro, Robson. II. Título.

14–04809 CDD–133.93

Índices para catálogo sistemático:
1. Saúde e medicina : Mensagens mediúnicas
psicografadas : Espiritismo 133.93

Nesta obra respeitou-se o Acordo Ortográfico da Língua Portuguesa (1990), ratificado em 2008.